GW00400227

Einaudi Ragazzi

....

storie & rime

Collana diretta da
Orietta Fatucci

• •

• •

Seconda edizione, luglio 2014

© 1998 Edizioni EL, San Dorligo della Valle (Trieste)

© 2014 Edizioni EL, per la presente edizione

ISBN 978-88-6656-134-7

www.edizioniel.com

• •

ANGELA NANETTI

illustrazioni di
Anna & Elena Balbusso

Mio NONNO era un CILIEGIO

Einaudi Ragazzi

Ai miei nonni adottivi
e ai nonni dei miei figli.

....

Mio NONNO
era un CILIEGIO

....

IL NONNO
OTTAVIANO

Quando avevo quattro anni, avevo quattro nonni: due nonni di città e due nonni di campagna.

Quelli di città si chiamavano Luigi e Antonietta e assomigliavano spiccicati a tutta la gente di città. Quelli di campagna si chiamavano Ottaviano e Teodolinda e non assomigliavano a nessuno, nemmeno ai loro vicini di casa.

I nonni di città abitavano nel nostro palazzo e io li vedevo come minimo quattro volte al giorno.

Alle otto del mattino, quando il nonno tornava dalla passeggiata con Floppy:

– Allora, cosa facciamo oggi, giovanotto? Andiamo o no a scuola?

Alle nove, quando la nonna usciva con Floppy per la spesa:

– Sei pronto per la scuola, fringuellino?

Alle due, quando il nonno usciva per la seconda passeggiata con Floppy:

– Ah, sei tornato dalla scuola! Bravo!

E alle cinque, quando la nonna usciva con Floppy per le compere o per una visita alle amiche:

– Ti sei divertito oggi a scuola, fringuellino?

La scuola era quella materna, che io odiavo con tutte le mie forze da quando, una bruttissima mattina, la mamma aveva cominciato a lavorare e mi ci aveva portato per forza.

Cosí ogni giorno era la stessa storia: io piangevo, il nonno bussava alla porta, la nonna si affacciava e tutti e due se ne andavano con Floppy.

La mamma, certe volte, quando li vedeva, sbuffava e diceva frasi del tipo: «Il cane per loro è meglio del nipote», che mi preoccupavano moltissimo e spesso mi facevano smettere di piangere. Perché Floppy, con quella pancia che sembrava il mio pallone e le gambe rachitiche, era bruttissimo e io mi domandavo come potevo essere piú brutto di lui.

Tutti diversi i nonni di campagna. Per prima cosa avevano oche e polli al posto di un cane; poi non uscivano quattro volte al giorno a portarli a passeggio; infine non abitavano

sopra di noi, ma a quaranta chilometri di distanza e io li
vedevo sí e no un paio di volte al mese.

La mamma, a volte, quando parlava di loro, sospirava
e diceva frasi del tipo: «Come fossero dei fantasmi». E io
immaginavo il nonno Ottaviano e la nonna Teodolinda
coperti da un lenzuolo bianco, uno alto e l'altra larga, mentre
inseguivano i polli e le oche nel cortile.

Questi nonni erano i genitori della mamma ed erano piú
simpatici degli altri due, proprio come lei.

La mamma era l'unica figlia del nonno Ottaviano, perché
la nonna Teodolinda, anche se era cosí grossa, partoriva dei
bambini piccolissimi, che non riuscivano a vivere piú di un
giorno. Per fortuna con la mamma andò un po' meglio; forse
perché quella volta la nonna ce la mise tutta, lei diceva, per
poter avere un nipote come me.

Il nonno fece festa per un giorno intero e la nonna diceva
che si era anche ubriacato. Poi andò nell'orto a piantare il
ciliegio.

A questo punto vi devo parlare del nonno. Io allora non
c'ero, ma immagino che fosse già un tipo speciale. La nonna
diceva che era l'uomo piú bello del paese e che aveva dovuto
sudare sette camicie per accalappiarlo. Ma forse la nonna
esagerava un po', perché gli voleva cosí bene che si vedeva
ancora. Io il nonno non me lo ricordo proprio bello, ma alto e
diritto, con i capelli al vento, quelli che aveva, e un filo d'erba
sempre in bocca. L'erba dei prati, che strappava con due dita
e mordicchiava piano piano. «Meglio questa di un sigaro»,
diceva.

Dunque, quando la mamma nacque, il nonno andò in paese
e tornò con un paio di orecchini d'oro per la nonna e una
pianta di ciliegio. Andò nell'orto, scavò una buca, la riempí
di letame caldo e piantò l'albero; poi prese un temperino, lo

arroventò e incise a fuoco un nome: FELICITÀ. La mamma,
infatti, si chiama cosí e questo, secondo il nonno, doveva
essere anche il nome del ciliegio. Ma la nonna gli fece notare
che era un nome poco adatto a un ciliegio; allora il nonno
decise che lo avrebbe chiamato Felice, e cosí è stato. Felice
aveva allora tre rami, e in primavera, quando la mamma aveva
sette mesi e quattro denti, mise anche lui quattro fiori. Da
quel momento la mamma e il ciliegio sono cresciuti insieme e
con il nonno e la nonna hanno formato una famiglia. Bastava
guardare l'album delle fotografie per capirlo.

Nella prima c'era la mamma a sette mesi, con i famosi
quattro denti che però non si vedevano, in braccio alla
nonna Teodolinda, che la sollevava in alto come un pupazzo.
Quando guardavo quella foto, pensavo sempre che la nonna
Teodolinda su un ring di pesi massimi ci sarebbe stata
benissimo. Allora era giovane e non era ancora grassa come
io la ricordavo, ma aveva certe braccia che con uno se ne
facevano due di quelle della nonna Antonietta. Per non
parlare del seno! La nonna Teodolinda aveva due cose grandi
e morbide, che quando mi prendeva in braccio e mi stringeva,
mi pareva di affondare in un cuscino di piume e avrei voluto
dormirci sopra per sempre.

Questa è la cosa piú bella che mi ricordo della nonna, e

anche l'odore che aveva, che non assomigliava ai profumi puzzosi della nonna Antonietta, ma all'odore della mamma dopo il bagno. Lei diceva che erano le saponette che fabbricava in casa con una ricetta segreta che le aveva dato una strega, e io allora ci credevo, perché la nonna era cosí diversa dalle altre donne che tutto mi sembrava possibile.

Accanto alla nonna, in quella prima fotografia dell'album c'era Felice: era alto piú o meno come lei e sembrava un ciliegio bambino. Secondo il nonno, quando lo aveva piantato doveva avere tre anni, l'età giusta per essere un buon compagno di giochi. In un'altra fotografia si vedeva la mamma su un'altalena sospesa al ramo piú grosso del ciliegio, che intanto di rami ne aveva messi altri. Il nonno l'aveva potato e Felice sembrava tutto infreddolito. Ma quando glielo facevo notare, lui mi diceva: «Ma no, alle piante fa bene, cosí si irrobustiscono». E infatti, nella fotografia del settimo compleanno della mamma, Felice era ormai un albero e la mamma poteva stare a cavalcioni di un ramo e dondolare le gambe nel vuoto.

Tante volte lei mi ha raccontato che il suo divertimento piú grande, da bambina, era salire sul ciliegio e inventare lassú mille giochi. Io l'ascoltavo con invidia perché, quando mi portava dai nonni, il tempo era sempre troppo poco, Felice

troppo alto e io troppo piccolo perché potessi salire da solo.
Quando il nonno non era impegnato nell'orto o con i polli, mi
ci portava lui: si toglieva le scarpe, mi prendeva a cavalluccio
sulle spalle e saliva con un'agilità incredibile, come una
scimmia con il suo scimmiotto. Una volta la mamma uscí,
ci vide e si mise una mano sulla bocca per non gridare. Ma
non disse niente, tanto sapeva che con il nonno era inutile.
Questo succedeva quando la nonna stava ancora bene. Poi lei
si ammalò e il nonno non fu piú quello di prima. La mamma
lo diceva sempre, ogni volta che tornavamo a casa. Parlava da
sola, a voce alta, e diceva che non era giusto lasciarli là, che il
nonno era un testone, che non poteva pensare a tutto lui... Poi
finiva per lamentarsi degli altri due nonni e per prendersela
con Floppy.

L'album delle fotografie arrivava fino al matrimonio della
mamma e ce n'erano due che mi piacevano molto: in una
si vedevano mamma e papà sotto il ciliegio tutto fiorito,
lei sulla sua altalena e papà che fingeva di spingerla, e,
nell'altra, il nonno Ottaviano e la nonna Teodolinda che si
davano la mano. La mamma mi ha raccontato che il nonno,
per il matrimonio, voleva fare un grande pranzo nell'orto;
ma siccome il nonno Luigi e la nonna Antonietta erano
contrari, per via delle mosche e degli insetti, avevano fatto

lí solo le fotografie e poi erano andati al ristorante, dove il nonno Ottaviano aveva dovuto mangiare le ostriche, che gli facevano schifo, e il giorno dopo si era sentito male.

Nelle foto del matrimonio mamma e papà erano bellissimi, e il nonno Ottaviano e la nonna Teodolinda quasi non si riconoscevano. Il nonno indossava un vestito scuro con la cravatta, che era quello del suo matrimonio, e la nonna un abito tutto arricciato, che la faceva sembrare ancora piú grassa, e un mazzolino di fiori puntati sul petto. La nonna rideva e nella faccia sembrava quasi una bambina.

Quell'album non c'è piú, lo distrusse il nonno, ma le foto io le ricordo tutte, una per una.

LA NONNA
TEODOLINDA

································

CAPITOLO **2**

Non so quando la nonna Teodolinda cominciò a
sentirsi male, ma ricordo con precisione il giorno in cui io
me ne accorsi. Era il mese di maggio, compivo cinque anni
e facemmo la festa a casa, con il nonno Luigi, la nonna
Antonietta e un paio di amichetti.

C'era anche Floppy, che si vede in una fotografia mentre
mangia il gelato insieme a noi. Questo Floppy, come diceva
il nonno Ottaviano, era un cane che non apparteneva piú alla
razza canina e per quella umana gli mancava come minimo
la parola; insomma, era ormai un cane a metà, per colpa dei
nonni che lo trattavano come un bambino, per giunta un po'
scemo.

In quella fotografia, quindi, siamo tutti insieme, ma il
nonno Ottaviano e la nonna Teodolinda non ci sono.

Ora, i nonni venivano da noi, in città, «ogni morte di papa», come diceva il nonno, ma sempre per il mio compleanno. Quella volta, invece, non vennero e la mamma mi disse che era perché la nonna Teodolinda non stava bene.

L'idea che avevo allora del non stare bene era pressappoco quella del mal di pancia o della tosse, che mi toccavano come minimo due o tre volte l'anno. Cosí, quando una settimana dopo andammo dai nonni, osservai attentamente la nonna Teodolinda, ma non vidi in lei nessuna traccia di questi due disturbi. Solo mi accorsi che la nonna, quando seguiva i polli e le oche nel cortile, si fermava spesso, portava una mano al petto e respirava con fatica.

– Ti fa male? – le chiesi.

Lei mi sorrise e si sedette su una sedia di vimini lí vicino.

– Un po'.

Fu cosí che seppi che la nonna Teodolinda era malata di cuore.

Ma se non fosse stato per quella sedia, dove sempre piú spesso la vedevo, che la nonna stava male non l'avrebbe detto nessuno: lei non era cambiata, e non cambiò mai.

La sua grande passione era il pollaio. La nonna allevava i polli come se fossero stati figli suoi, li conosceva uno per uno, li chiamava per nome, li lodava e li sgridava; e loro la seguivano e le ubbidivano sempre. Il nonno diceva che era per il fatto che lei covava le uova.

Una volta lo disse a tavola, quando c'era la nonna Antonietta.

– Vede la Linda? – disse il nonno. – Altro che incubatrice! Lei è dieci volte meglio! Si prende una covata di venti o trenta uova, se le mette tutte intorno nel letto e cova, cova. Tempo una settimana, con tutta la ciccia che si ritrova e... *tac!... tac!*, i pulcini escono che è una meraviglia. Altro che incubatrice! Ma dopo non vogliono saperne della chioccia e stanno tutti intorno a lei!

La nonna Antonietta lo guardava con gli occhi sbarrati e il nonno Luigi non sapeva cosa cercare nel piatto. Sono sicuro che stava pensando: «Che gente!», come gli avevo sentito dire una volta in cui credeva che non stessi ascoltando.

– Ma babbo! – esclamò la mamma tutta seria.

Il nonno aveva bevuto ed era molto allegro; ma quella che si divertiva di più era lei, la nonna Teodolinda, che, mentre il nonno raccontava, sobbalzava tutta dalle risate.

Alla fine gli altri due nonni capirono che era uno scherzo e cominciarono a ridere anche loro.

Ma più ancora che per i polli, la nonna aveva una passione per le oche. Non so perché; lei diceva che erano piú intelligenti dei cristiani, ma io penso che fosse perché le assomigliavano un poco. Ce n'era una, Alfonsina, che era la sua preferita. Era cosí grande e grossa che io mi ci sedevo sopra e mi facevo portare a spasso per il cortile. Anche a me piaceva Alfonsina. Appena arrivavo mi correva incontro e mi seguiva dappertutto. E potevo dirle qualsiasi cosa che lei mi capiva. Una meraviglia, Alfonsina, altro che Floppy! Alfonsina faceva anche le uova piú grosse e quando aveva i piccoli me li lasciava toccare; non come le altre, che se ti avvicinavi ti saltavano agli occhi!

Alfonsina è stato l'unico animale del pollaio che la nonna ha risparmiato.

Sí, perché, con tutto il bene che voleva alle oche e ai polli, quando li doveva vendere o gli doveva tirare il collo non ci pensava un minuto.

«È la legge della natura!» sospirava, e *zac!*, in un istante compiva l'opera. Io la guardavo compiere le sue stragi, affascinato e un po' inorridito, e sempre piú mi convincevo che nella nonna c'era qualcosa di segreto, una specie di magia che lei esercitava sui polli.

Infatti la loro morte era cosí rapida e indolore che sembrava un gioco di prestigio. Un quarto d'ora, ed eccone appesi a testa in giú cinque o dieci, a guardarmi con gli occhi

semiaperti, che io non sapevo mai se stessero scherzando o
fossero morti sul serio. Poi arrivava il nonno, metteva i polli
in una cesta e li caricava sul camioncino insieme alle verdure
e alle uova. La nonna allora scuoteva il grembiule, si dava
una sciacquata alle mani e tornava nel pollaio a distribuire il
becchime o a mettere a letto i pulcini.

– Coo-coo-coo, vieni bellina, vieni... Pi-pi-pi-pi...

Questo succedeva una volta la settimana.

Anche quando si ammalò, la nonna, per un certo tempo,
continuò a occuparsi del pollaio; si fermava ogni tanto,
portava la mano al petto o si sedeva, poi ricominciava.

La mamma, ogni volta che andavamo, la sgridava, ma lei
alzava le spalle e diceva che stava bene e che la lasciassero
fare. La mamma allora si arrabbiava di piú e spesso finivano
per discutere, cosí la nonna stava male sul serio.

Una volta il nonno le sentí e perse la pazienza. Fu la prima
volta che lo vidi arrabbiato.

– Non capisci niente! – gridò. – Lascia in pace tua madre!

La mamma si offese moltissimo e tornando a casa parlava
a voce piú alta del solito e se la prendeva piú del solito con i
nonni e con Floppy.

A un certo punto, vedendola cosí agitata, mi arrabbiai

anch'io con il nonno, che s'era messo a urlare in quel modo, e
per consolarla le dissi: – Non ti preoccupare, mamma, ci sono
io che ti voglio bene!

Ma invece di essere contenta di quello che le avevo detto,
la mamma scoppiò a piangere come una fontana, tanto che
per poco non andavamo a sbattere contro un muretto. Cosí,
in quella confusione, mi misi a piangere anch'io. Allora la
mamma fermò la macchina, si soffiò il naso, mi abbracciò e mi
disse:

– Grazie, tesoro, hai detto una cosa bellissima. Ma il nonno
ha proprio ragione.

Poi ricominciò a piangere, e io ci capii ancora meno di
prima.

Comunque, da quando la nonna non stava bene, andavamo
dai nonni una volta la settimana, in genere il sabato, e
stavamo lí tutta la giornata; e io ero cosí contento che speravo
che la nonna non guarisse mai. Papà veniva raramente,
perché aveva da fare allo studio, e spesso per questo la
mamma e lui litigavano. Insomma, un periodaccio.

Invece la nonna e il nonno sembravano volersi piú bene di
prima. Il nonno, adesso, lasciava spesso l'orto e si affacciava al
pollaio o in casa.

– Linda, ti serve qualcosa? – chiedeva.

– Ma no, cosa ti viene in mente! Vai a vedere piuttosto se hanno raccolto l'insalata, – rispondeva lei.

Ma quando la vedeva in cortile seduta sulla sedia, si fermava in silenzio vicino a lei, finché la nonna non lo guardava e diceva, seccata:

– Be', uno non si può stancare ogni tanto?

Il nonno faceva di sí con la testa, ma sembrava molto triste.

– Vammi a prendere un bicchiere d'acqua, per favore, – gli chiedeva allora la nonna, e talvolta si faceva aria, come se le mancasse il respiro.

Con il tempo la nonna prese a stare sempre piú seduta su quella sedia e il nonno cominciò a occuparsi sempre piú dei polli e delle oche. Lei gli dava istruzioni e controllava tutte le sue mosse, e un po' alla volta il nonno diventò cosí bravo che la nonna diceva che ora le uova le covava lui. Ma non riuscí mai a tirare il collo ai polli e, quando erano pronti, gli legava le zampe e li ficcava vivi nella cesta, poi li portava in paese dal macellaio.

– Povere bestie! – sospirava la nonna Teodolinda. – Come mi dispiace non avere piú la forza!

E si rattristava tutta, e io con lei, perché immaginavo, dall'esclamazione della nonna, che il macellaio facesse ai polli delle cose tremende.

In quel periodo il nonno non aveva piú tempo per portarmi sul ciliegio, ma io avevo imparato a salire da solo sull'altalena della mamma e a dondolarmi; cosí, quando lui era nell'orto, gli facevo compagnia.

Dopo un po', però, lui mi diceva:

– Vai dalla nonna, non lasciarla sola.

E la nonna, quando mi vedeva arrivare, mi sorrideva e mi stringeva cosí forte che certe volte mi pareva di soffocare.

Poi arrivò l'inverno e fece molto freddo, io mi ammalai parecchie volte e per un po' di tempo non andai dai nonni. Quando ritornai, trovai la nonna a letto e da allora ci rimase quasi sempre.

In marzo Alfonsina fece delle bellissime ochette e la nonna chiese al nonno che gliele facesse vedere. Quando le vide ne rimase cosí contenta che il nonno cominciò a portargliele per un poco in camera, accanto al letto.

La nonna le prendeva una per una e le accarezzava piano, poi le rimetteva nella cesta. Qualche volta sembrava addormentarsi con un'ochetta sul petto, che dormiva anche lei in tutto quel calduccio, e Alfonsina stava a guardare. Non era per niente gelosa, Alfonsina.

Questo è l'ultimo ricordo che ho della nonna Teodolinda.

Un giorno, quando tornai dall'asilo, non trovai a casa né mamma né papà, ma solo il nonno Luigi e la nonna Antonietta. Con una faccia seria seria mi dissero che la nonna Teodolinda era partita per un lungo viaggio e non l'avrei piú rivista.

– Come partita! – gridai. – E perché non me l'ha detto, perché non mi ha salutato? E Alfonsina, adesso, come fa?

Mi sentivo tradito e cosí deluso dal comportamento della nonna, che scoppiai a piangere. Allora la nonna Antonietta mi prese in braccio e mi parlò di un viaggio della nonna in cielo, dove io non potevo andare.

– Con l'aereo? – m'informai subito, perché una volta avevo fatto un viaggio con mamma e papà e mi era piaciuto moltissimo.

– No, non con l'aereo. La nonna Teodolinda è morta.

Cosí imparai che morire significava fare un viaggio in cielo senza aereo e che lí non c'era posto né per le oche né per i bambini.

Il giorno del funerale le cose diventarono ancora piú complicate, perché qualcuno mi disse che dentro quella cassa di legno coperta di fiori c'era la nonna Teodolinda e che la stavano portando al cimitero. Dunque, se era lí dentro, non poteva essere in cielo e qualcuno aveva mentito. Cominciai a strillare:

– Non ci credo! Siete tutti bugiardi! Voglio vedere la
nonna! – tanto forte che tutti si spaventarono, perché non
riuscivano a calmarmi.

Finché si avvicinò il nonno Ottaviano e mi disse:

– La nonna Linda non si può vedere; ma non se n'è mica
andata, sai? Ha detto che al suo posto lasciava Alfonsina e si è
raccomandata di averne molta cura, come se fosse lei.

Io guardai il nonno e mi sentii molto sollevato.

– Ha detto proprio questo?

Il nonno fece di sí con la testa. Era molto elegante, con il
suo abito scuro del matrimonio, e ben pettinato, ma aveva le
spalle piú curve e sembrava piú vecchio.

– Sí, e ha detto anche di salutarti da parte sua e di darti un
bacio.

– Ma quando torna?

Lui si strinse nelle spalle e si allontanò. Quando tornò
aveva in braccio Alfonsina e con quella seguí la bara fino
al cimitero. Tutti lo guardavano, ma il nonno non guardava
nessuno. Dava la mano a me e ogni tanto si piegava e
bisbigliava qualcosa ad Alfonsina, che muoveva la testa e gli
diceva di sí.

In quel momento, sono sicuro, lui stava parlando con la
nonna Teodolinda.

L'ORTO

Dopo la morte della nonna, il nonno Ottaviano continuò ad abitare dov'era sempre vissuto e a coltivare l'orto. Dei polli, invece, non si occupò piú: un giorno li prese, li mise dentro le ceste e li portò in paese, dal solito macellaio. Tenne solo Alfonsina e le ochette, che intanto si erano fatte grandicelle. Quando andavamo da lui, quasi tutte le settimane, che il nonno fosse in cortile, in casa o nell'orto, era sempre seguito da Alfonsina e dalla sua covata. Se io la chiamavo, Alfonsina mi veniva incontro, ma, appena il nonno si allontanava da lei, si girava e gli correva dietro, sbattendo le ali e starnazzando; e i piccoli si affannavano a seguirla.

Insomma, se volevo stare con loro, mi dovevo mettere in fila anch'io e tutti insieme andavamo nell'orto.

L'orto del nonno era molto grande, perché di mestiere
lui faceva l'ortolano, come suo padre Vincenzo e suo nonno
Giovanni. Iniziava dietro la casa, dopo il recinto del pollaio,
e da una parte arrivava al fiume, dall'altra alla strada che
portava in paese. L'orto era bello e cosí ordinato che pareva un
giardino. Dalla parte del fiume il nonno aveva una fila di meli
e in fondo una piccola vigna; tutto il resto era diviso in tante
strisce regolari, tra le quali passavano dei canaletti d'acqua
che servivano per irrigare.

Ogni striscia di terra era coltivata in modo diverso a
seconda delle stagioni: c'erano le carote, le insalate, i cavoli, le
patate, le cipolle, insomma, tutti i tipi di ortaggi. Il nonno in
una parte seminava e innaffiava, e nell'altra raccoglieva; e cosí
tutto l'anno. A camminarci in mezzo, l'orto non era mai vuoto,
ma soprattutto era bellissimo in primavera, quando i meli
erano in fiore, gli ortaggi appena spuntati e Felice, il ciliegio,
tutto ricoperto di bianco.

Il ciliegio era nell'angolo dell'orto tra la strada e il cortile,
cosí che, grande com'era, si vedeva da ogni parte. Da quando
era rimasto solo, il nonno passava molte ore sotto il ciliegio:
prima ci accompagnava soprattutto me, ma ora aveva messo
lí sotto la sedia della nonna Teodolinda e, quando l'orto lo
lasciava libero dai lavori o si voleva riposare, si sedeva su

quella sedia, con Alfonsina e le ochette accanto, e se ne stava a occhi chiusi, senza muovere nemmeno un dito.

Una volta lo sorpresi cosí e gli domandai:

– Nonno, sei morto?

Allora lui socchiuse un occhio, come facevano i polli della nonna, e mi fece cenno di andargli vicino.

– Mettiti qui, – mi disse, facendomi posto sulla sedia. Io mi sedetti e lui mi cinse le spalle con un braccio e con la mano mi coprí gli occhi.

– E adesso dimmi che cosa vedi, – mi sussurrò.

Io risposi che vedevo solo il buio e lui mi disse:

– Ascolta.

Allora ascoltai e sentii pigolare piano piano, poi un rumore tra le foglie.

– È un nido di cince. La vedi la mamma che porta da mangiare ai suoi piccoli?

Vedere non vedevo niente, ma sentivo un battito di ali e poi tutto un *cip-cip*. Accipicchia come strillavano!

– Li sta imboccando, – spiegò il nonno. – E adesso ascolta ancora.

Sentii un ronzio intenso.

– Queste sono le api che vanno al favo. Hanno succhiato i fiori e ora se ne tornano a casa con la pancia piena. Le vedi?

Ascoltai ancora e mi sembrò proprio di vederle, quelle povere api, con una pancia cosí grossa che quasi non ce la facevano a volare.

Allora il nonno mi tolse la mano dagli occhi e mi chiese:

– Capito? Se ascolti con attenzione e ti concentri, puoi vedere un mucchio di cose, come se avessi gli occhi aperti. E adesso ascolta il ciliegio che respira.

Io chiusi di nuovo gli occhi e sentii un'aria leggera che mi passava sul viso e tutte le foglie del ciliegio che si muovevano piano piano.

– È vero, nonno, Felice respira, – dissi.

Il nonno mi accarezzò la testa e continuò a stare immobile ancora un po': io lo guardai e vidi che sorrideva.

Quando penso al nonno Ottaviano, non dimentico mai quel giorno in cui mi ha insegnato ad ascoltare il respiro degli alberi.

In maggio, per la festa del mio sesto compleanno, il nonno Ottaviano venne da noi. Siccome tutti sapevano quanto poco gli piacesse la città e pensavano alle volte in cui era stato da noi con la nonna Teodolinda, la mamma gli aveva detto al telefono che non era necessario che venisse, perché non ci sarebbe stata una vera festa.

– Solo la torta e basta.

– Meglio cosí, – disse lui, – senza la Linda non mi va di fare baldoria.

Arrivò puntuale per il pranzo con il camioncino della frutta e verdura, carico come sempre di un mucchio di roba per noi e per gli altri nonni. Il nonno, per spostarsi, aveva due mezzi di trasporto: il camioncino e la bicicletta. Con il camioncino portava le verdure e i polli in paese o veniva in città; con la bicicletta si muoveva sempre. L'automobile non l'aveva mai voluta comprare, per quanto la mamma avesse insistito e si fosse pure arrabbiata. Una volta, in una discussione, la mamma disse perfino: «Pensa che figura ci faccio con i miei suoceri!».

«Ah, perché, i signori storcono il naso? – sghignazzò il nonno. – Però, quando porto la verdura fresca e le uova, le storie non le fanno!» La mamma diventò tutta rossa. «Comunque togliti dalla testa che io comperi una macchina che non mi serve! O mi prendete cosí o niente!»

Da quella volta, la mamma non tornò piú sull'argomento e il nonno continuò a scorrazzare con il suo camioncino, che aveva come minimo la sua età e forse era ancora piú vecchio.

Dunque, per la festa del mio compleanno il nonno arrivò

con due ceste, una piena di verdure e l'altra con dentro
Alfonsina e le sue ochette.

– Non volevano stare sole; le ho dovute portare con me per
forza, – spiegò alla nonna Antonietta, che lo guardava con una
faccia strana. E mi strizzò l'occhio.

Il pranzo andò bene e Alfonsina si comportò con tanta
educazione che perfino la nonna Antonietta disse che non si
aspettava che le oche fossero cosí intelligenti e civili.

Disse proprio «civili» e il nonno si mise a ridere di gusto.

– Eh, ce ne fossero in giro di oche come questa! Intendo dire tra noi, lei mi capisce signora Antonietta...

– Papà! – esclamò la mamma, guardando la nonna con aria preoccupata.

– Be', che cosa ho detto? – fece lui. – Piuttosto, senti, sono venuto anche per farvi una proposta. Questo è l'ultimo anno di libertà per Tonino, l'anno prossimo andrà a scuola e allora... chi s'è visto s'è visto! Allora, dicevo, qui comincia a fare caldo e tu hai il tuo benedetto lavoro, tuo marito non ne parliamo... Per carità, non m'interrompere, è una cosa giusta, giustissima. Per quanto tua madre... ma lei era una donna d'altri tempi... Dunque, voi lavorate tutto il giorno e questo bambino, chiuso in quella galera...

– Ma papà, cosa dici! Lui alla scuola materna ci va volentieri!

Preferii non guardare la mamma: se una bugia cosí l'avessi detta io, ne avrei sentite di tutti i colori!

– D'accordo, ma adesso fa caldo e siamo quasi alla fine. Insomma... – Era la prima volta che vedevo il nonno imbarazzato e non capivo il perché. Ma lo capii subito dopo.

– Perché non lo mandi da me per un paio di settimane?

Il nonno concluse in fretta la frase e cominciò a ripulire il

piatto con un pezzo di pane. Seguí un momento di silenzio. Il
nonno continuava a ripassare il pane sul piatto e non alzava la
testa.

La proposta era cosí straordinaria che mi aveva tolto il fiato.
Riuscii soltanto a gridare: – Nonno! – e corsi ad abbracciarlo.

Finalmente la mamma parlò.

– Ma sei solo, devi occuparti dell'orto… Già la casa è tanto
grande, e senza la mamma… Come farai con un bambino…

La mamma, lo si capiva benissimo, non aveva molta voglia
di mandarmi dal nonno. Prima di tutto papà era fuori per
lavoro e lei aveva una paura tremenda a dormire sola la notte;
poi, da quando ero nato, mi aveva sempre tenuto appiccicato
a sé come un francobollo; infine, credo che del nonno non si
fidasse molto.

Il nonno, tutti lo consideravano una testa matta, anche la
nonna Teodolinda, che lo chiamava proprio cosí: «Quella testa
matta di tuo nonno». E com'era contenta quando lo diceva!

Cosí la mamma si agitava sulla sedia e gli altri due nonni
sembravano diventati all'improvviso sordi, muti e perfino un
po' ciechi, che era il loro modo di dire: «Noi non c'entriamo
niente».

Allora il nonno Ottaviano alzò gli occhi dal piatto e vidi che
erano lucidi.

– Non ti ho mai chiesto niente, – mormorò.

Quella sera stessa me ne andai con lui.

Caricammo sul furgoncino la mia valigetta, la cesta con Alfonsina e le ochette e partimmo, mentre dalla finestra la mamma e i nonni si sbracciavano come se stessimo partendo per l'America.

I quindici giorni diventarono poi un mese intero, perché papà tornò dal suo viaggio con una gamba rotta e la mamma dovette trafficare parecchio intorno a lui. Quando al telefono lei mi disse della gamba di papà, mi scappò un «evviva!» che la scandalizzò moltissimo e subito mi chiese:

– Il nonno è lí?

– Certo che ci sono! – rispose lui. – Tuo figlio è in ottime mani, stai tranquilla!

La mamma gli fece un interrogatorio di terzo grado, poi finalmente si mise l'animo in pace e ci lasciò tranquilli.

E io passai con il nonno il periodo piú bello della mia vita.

La prima cosa che ricordo, di quei giorni, è la tazza con lo zabaione. Ogni mattina il nonno mi preparava lo zabaione con l'uovo e lo zucchero. Io stavo a letto, ancora mezzo addormentato, e cominciavo a sentire il nonno, di sotto, che sbatteva: *toc-toc-toc-toc*. Allora mi svegliavo un po' alla volta

e, mentre aspettavo il nonno, mi divertivo a guardare il sole
che entrava dalle fessure delle imposte e disegnava tante
righe dorate nell'aria. Poi sentivo Alfonsina nel cortile, che
portava a passeggio le sue ochette, e il nonno che ancora
sbatteva lo zabaione. *Toc-toc-toc.*

Mezz'ora ci voleva, per farlo diventare come la panna
montata. Detto cosí sembra una cosa da niente, ma era la
cosa piú buona che al mattino si potesse mangiare; anche
perché il nonno ci metteva un po' di vino rosso, che lo faceva
assomigliare a un liquore. Insomma, piú buono della torta alla
frutta della nonna Antonietta e di tutti i budini al cacao della
mamma.

Quando spiegai alla mamma in che modo il nonno faceva
lo zabaione, lei esclamò: – È impossibile! – tre volte. Proprio
tre volte. E io pensai che volesse dire che lo zabaione non
poteva essere piú buono dei suoi budini al cacao e per
consolarla le dissi che, a pensarci bene, anche i budini al
cacao erano buoni, forse come lo zabaione del nonno. Ma lei
ripeté di nuovo:

– Non è possibile! Dare del vino a un bambino di sei anni! –
Allora capii finalmente che ce l'aveva con il vino rosso che il
nonno metteva nello zabaione, e le dissi:

– Ma il nonno mi ha detto che lo prendevi anche tu, da

piccola. Per questo sei cresciuta, altrimenti saresti rimasta un tappo di sughero com'eri quando sei nata.

– Io un tappo di sughero! – fece la mamma tutta seccata. Ma del vino e dello zabaione non parlò piú.

Per fare lo zabaione, tutte le sere io e il nonno andavamo a prendere le uova da un contadino che si chiamava Emilio e abitava a un paio di chilometri da noi. Questo Emilio aveva una stalla con cinque o sei mucche, che teneva come delle principesse, ma non aveva un pollaio. Cosí le galline facevano le uova un po' dappertutto: nel fienile, sotto la siepe, perfino nella stalla, e ogni volta il nonno gli diceva:

– Non capisco perché non ti decida a fare un bel pollaio. Se ti vedesse la mia Linda, in queste condizioni, ne sentiresti delle belle!

E lui rispondeva sempre:

– Per questo non ho preso moglie!

Ma anche se non si era sposato e non aveva un pollaio, Emilio le uova le sapeva trovare sempre. Era incredibile, ma sembrava che le galline glielo dicessero tutti i giorni.

Appena arrivavamo:

– Oggi ne hanno fatte cinque, – diceva; oppure: – Ce ne sono solo tre –. E *zac!* Andava a raccoglierle a colpo sicuro.

Una volta ne trovò due dentro un paio di scarpacce.

– Cosí non va bene, – lo rimproverò il nonno, – dovresti
disciplinarle un po'. La Linda non gliel'avrebbe mai
permesso.

Ma a parte le sue idee sui polli, Emilio era un uomo molto
simpatico.

Il primo giorno, il nonno volle prendersi un uovo solo,
perché diceva che lo zabaione doveva essere cosí fresco da
odorare ancora di gallina. Se lo infilò dentro la camicia, mi
fece sedere sul tubo della bicicletta e partimmo.

Emilio gli aveva detto:

– Ma proprio lí lo devi mettere?

– E dove dovrei metterlo, secondo te? – gli aveva risposto il
nonno. Infatti, quando comprava qualcosa, lo metteva sempre
lí dentro, nella camicia. La nonna la chiamava «una maledetta
abitudine», perché il nonno ci metteva proprio di tutto: sigari,
giornale, pane, una volta perfino quattro o cinque pulcini che
aveva comprato al mercato e che lo sporcarono tutto di cacca.
Quando la nonna brontolava, lui diceva che le borse erano
cose da donne, che aveva fatto sempre cosí, fin da bambino, e
cosí avrebbe fatto anche a ottant'anni.

«Se ci arrivi, testa dura!» ribatteva la nonna.

Dunque, il nonno prese l'uovo e lo sistemò per bene come
ho detto. Ma dopo un chilometro circa, non so cosa successe,

forse una mia gomitata, si sentí uno strano rumore. Allora il nonno si fermò.

– Fammi dare un'occhiata, Tonino, – disse. Guardò dentro la camicia e annunciò: – Abbiamo fatto la frittata!

Infatti la camicia era tutta impiastricciata di giallo, ma lui non si scompose.

– Niente paura, adesso torniamo indietro e di uova ce ne prendiamo due. Cosí, se uno si rompe, abbiamo quello di ricambio.

Il nonno rideva e sembrava che si divertisse un mondo. Allora mi venne in mente quella volta che avevo fatto cadere il cestino delle uova e la mamma, invece di mettersi a ridere, mi aveva dato un ceffone. In certe cose lei non assomigliava per niente al nonno!

Quando lo zabaione era pronto, il nonno saliva su in camera mia e spalancava la finestra.

– È primavera, svegliatevi bambini! – si metteva a cantare. Aveva una bellissima voce, ma cantava cosí forte che mi dovevo tappare le orecchie.

– Basta, nonno!

– Forza, che lo zabaione si sgonfia e Alfonsina perde la pazienza! – mi diceva.

Io ingoiavo lo zabaione a palate, mi vestivo come capitava,
tanto al nonno non importava niente, e mi precipitavo in
cortile a dare da mangiare ad Alfonsina e alle ochette. Poi,
tutti insieme, andavamo nell'orto.

Passando sotto il ciliegio, ci fermavamo sempre a
controllare se le ciliegie erano mature.

– Ancora qualche giorno, – mormorava il nonno
accarezzando il tronco di Felice, – e poi cominceremo a
raccoglierle. Stavolta ti insegnerò a salire da solo.

L'idea mi entusiasmava talmente che pregavo in silenzio
Felice di sbrigarsi, perché avevo una paura matta che la
mamma venisse a prendermi prima che il nonno avesse
potuto insegnarmi. Invece papà si ruppe la gamba e tutto
andò per il meglio.

Una mattina il nonno guardò in alto e annunciò:

– Sono pronte.

Andò a prendere una scala, l'appoggiò al tronco e mi fece
salire sul primo ramo.

– Ora siediti a cavalcioni, reggiti bene e aspettami.

Si tolse le scarpe, infilò un cestino al braccio sinistro e in un
attimo mi raggiunse.

– Ma come fai, nonno? – gli chiesi.

– Il segreto è qui dentro, – mi disse, toccandosi la testa.

– Devi pensare di essere un uccello o un gatto, devi pensare
che l'albero è tuo amico, che è la tua casa. Devi stare comodo,
essere a tuo agio. Togliti le scarpe. E adesso muoviti senza
paura, Felice ti regge.

Il nonno si mise a raccogliere le ciliegie e io, piano piano,
cominciai a strisciare, poi mi alzai e mi spostai sui rami vicini.

Sembrava che il nonno non mi guardasse e invece non
perdeva una mia mossa.

– Non cosí, cosí, – suggeriva quando ero in difficoltà.

Dopo un po' il cestino era tutto pieno, ma io mi divertivo
tanto che non volevo piú scendere.

– Per oggi basta, Tonino, devo lavorare. Quando avrai
imparato bene, potrai starci quanto vorrai. Anche da solo.

Nel giro di una settimana sembravo diventato Tarzan:
salivo, scendevo e mi arrampicavo fino sui rami piú alti. Il
nonno non mi seguiva sempre: a volte prendeva la sedia della
nonna Linda e si sedeva sotto il ciliegio, a occhi chiusi. Ma io
sapevo che era come se mi vedesse.

– Sai, Tonino, – mi raccontò una volta, – alla tua età io non
ero bravo come te. Davvero! Mi sono fracassato un paio di
volte, prima di imparare bene. Si vede che assomigli a tua
madre. Eh, quella era un diavolo, da bambina!

L'idea di assomigliare alla mamma mi rese molto

orgoglioso e la prima cosa che le dissi, quando mi venne a
prendere, fu proprio quella.

– Mamma, il nonno mi ha insegnato a salire su Felice.
Guarda fin dove sono arrivato! – E le indicai il ramo piú alto.

La mamma guardò, tornò a guardare e diventò pallida.

– Papà, ma sei impazzito? – disse al nonno con una voce
cattiva.

– Perché, non ci salivi anche tu da bambina?

– Venticinque anni fa quest'albero era alto la metà.
Possibile che tu non ti renda conto delle cose?

La mamma sospirò con aria tragica, alzando gli occhi al
cielo.

In quel momento la odiai cosí intensamente che avrei
voluto farla sparire. Corsi ad abbracciare il nonno, ma lui mi
allontanò con dolcezza.

– Ha ragione la mamma, Tonino, sono proprio un vecchio
pazzo, – disse.

Questa frase non l'ho piú dimenticata, e nemmeno la
mamma, credo. Il ritorno a casa fu bruttissimo. Io feci i
capricci perché la mamma si era dimenticata di comprarmi
l'album delle figurine come mi aveva promesso; lei fece il giro
di tre edicole e due cartolerie per trovarlo e si prese due multe

per sosta vietata, senza concludere niente. Quando tornò,
io ricominciai i capricci e lei mi diede un ceffone; arrivati a
casa, papà mi venne incontro sulle stampelle e prima le diede
ragione, poi torto. La mamma si mise a strillare e scese la
nonna Antonietta con Floppy, che abbaiò alla mamma che
strillava e si prese una pedata da lei; la nonna Antonietta
risalí a casa sua e mamma e papà continuarono a litigare.
Quando smisero, mi mandarono tutti e due in camera per
punizione e io smisi di piangere. Dell'album delle figurine
non m'importava niente: ero contento che la mamma avesse
preso le multe e si fosse tanto arrabbiata; il nonno Ottaviano
era vendicato.

Quella notte sognai di essere sul ciliegio con il nonno;
facevamo i trapezisti, come al circo. Il nonno stava appeso al
ramo piú alto, a testa in giú, e io gli ero attaccato alle braccia.
Il nonno si dondolava, avanti e indietro, sempre piú veloce, e
all'improvviso mi lanciava verso il cielo. Io volavo a braccia
aperte, come un uccello, senza nessuna paura, e il nonno dal
basso mi sorrideva.

LA SPINA
NEL CUORE

....

Quell'estate i miei genitori, i miei nonni e Floppy litigarono in continuazione, e tutto per colpa della gamba rotta di papà. Lui ce l'aveva con la sua gamba perché non poteva muoversi, la mamma ce l'aveva con lui perché non potevamo andare in villeggiatura, e i nonni ce l'avevano con la mamma perché se la prendeva con la gamba di papà. E quello scemo di Floppy, quando sentiva alzare la voce, cominciava ad abbaiare e sembrava che ce l'avesse con tutti.

Insomma, in certi momenti la nostra casa pareva un manicomio! Io allora, per salvarmi, mi tappavo le orecchie e me ne andavo in camera a pensare ai fatti miei o a disegnare.

Una volta la mamma entrò mentre disegnavo di quando io e il nonno stavamo facendo il bagno nel fiume ed erano

arrivati i pompieri. Il disegno era venuto benissimo e anche
un cieco avrebbe visto che i pompieri erano i pompieri e io
e il nonno eravamo io e il nonno. Ma siccome la mamma era
nervosa, cominciò a farmi un interrogatorio di terzo grado:
e questi chi sono? E quelli che fanno il bagno? E che cosa è
successo?...

Cosí, anche se avevo promesso al nonno Ottaviano di non
parlare di quella faccenda, non ce la feci a tenere il segreto e
spifferai tutto.

Dunque, un giorno in cui faceva molto caldo, il nonno mi
propose:

– Che cosa ne diresti se ce ne andassimo al fiume a
prendere una rinfrescata?

L'idea mi sembrò bellissima e cosí, appena finito il lavoro
nell'orto, prendemmo gli asciugamani e ci avviammo.

Come ho detto, il fiume passava vicino a casa e piú che
un fiume era una specie di canale, perché non era né molto
largo né molto profondo. Insomma ci spogliammo, io e il
nonno, e in mutande entrammo in acqua. Poi, mentre il
nonno si rigirava da tutte le parti, soffiando come una foca, io
cominciai a dare la caccia ai pesci.

A un certo punto, quando mi trovavo al centro del fiume,
me ne passò davanti uno bello grosso e io mi lanciai

all'inseguimento. Ma avevo bisogno che il nonno mi desse
una mano, così mi misi a urlare:

– Nonno! Nonno!

– Cosa c'è, Tonino?

– Vieni!

Io mi sbracciavo per chiamarlo e ogni tanto mi tuffavo per
controllare il pesce.

– Arrivo, Tonino, non ti muovere! – rispose il nonno e si
affannò a raggiungermi al più presto.

Proprio allora, sfortunatamente, passò la signora Maria in
bicicletta; si fermò un momento a guardare, poi schizzò via

come un siluro. Cinque minuti dopo, sull'argine del fiume
c'erano i pompieri con le sirene spiegate.

– State calmi, vi aiutiamo noi! – gridò uno di loro.

Allora il nonno cacciò la testa fuori dall'acqua, tossendo e
sputando.

– Non serve, grazie, l'ho già preso io! – esclamò, mostrando
il pesce che era riuscito ad acchiappare.

Quando la mamma sentí questa storia, cominciò a ridere
cosí forte che non riusciva a fermarsi.

– Davvero ha detto cosí? – chiedeva asciugandosi gli occhi.
– Solo a mio padre poteva capitare una cosa del genere!

Finalmente riuscí a smettere e rimase di buon umore per
tutta la giornata.

Dopo, però, cominciò a pensare che l'acqua del fiume
poteva essere inquinata e che io magari mi ero preso
un'infezione. Ogni mezz'ora mi chiedeva se avevo mal di
pancia, e quando le dicevo di no sembrava quasi dispiaciuta.
Diceva che del nonno non si poteva mai fidare.

Ma quando la nonna Antonietta osservò che non trovava
decoroso, «a quell'età», mostrarsi in mutande, la mamma
subito le rispose:

– E allora le sembra decoroso rincitrullirsi dietro un cane
«di quella specie»?

Alla fine, vedendo che non mi ammalavo, la mamma smise di preoccuparsi della mia pancia e ricominciò con la gamba di papà.

L'estate, comunque, passò in fretta e in autunno cominciai le scuole elementari. Come aveva previsto il nonno, non le trovai molto divertenti, anzi, i primi mesi mi sembrarono una vera e propria tortura. Intanto c'era da imparare a scrivere, e già questo non mi piaceva particolarmente, e poi quello che scrivevo faceva sempre ridere.

Io scrivevo: «Il nonno parla con Alfonsina».

– Chi è? – domandava la maestra.

– Un'oca.

E tutti si mettevano a ridere.

«Il nonno sale sul ciliegio come una scimmia».

– Si dice: «Il nonno sale sul ciliegio con agilità», – correggeva la maestra. E tutti si mettevano a ridere.

«Felice ha tutti i rami colorati di rosa».

– Felice? E chi è? Un ciliegio?

E tutti si mettevano a ridere.

Alla fine non sapevo piú cosa scrivere e avevo sempre paura che gli altri ridessero di me. La mamma mi diceva: «Parla di altre cose», ma io non volevo parlare di quello che non mi piaceva e cosí decisi di non andare piú a scuola.

Una mattina dissi alla mamma che avevo mal di pancia e, siccome lei non mi credeva, mi feci venire il vomito.

– Dio mio, cosa sarà? – chiese lei, e mi tenne a casa.

Il secondo giorno feci lo stesso e il terzo la mamma mi portò dal dottore.

– Non è niente, tensione emotiva. Questo bambino va rassicurato.

Allora la mamma andò dalla maestra a spiegarle un po' di cose e lei disse che era molto dispiaciuta di quanto era accaduto, che ero un bambino dalla fantasia molto ricca, talvolta esuberante...

– Guardi che mio figlio non inventa niente, – disse la mamma.

– Davvero? – fece la maestra. – Vuole dire che il nonno...

– Sí, mio padre è proprio cosí! – esclamò la mamma, alzando orgogliosamente la testa; e io le volli molto bene per quello che aveva detto.

Da allora continuai a scrivere del nonno ogni volta che ne avevo voglia e i miei compagni cominciarono a ridere un po' meno.

Un giorno – era poco prima di Natale e a scuola stavamo preparando le letterine da mettere sotto l'albero – sentimmo fuori dalla porta tutto un trambusto e il bidello che diceva:

– Non si può entrare, – e un'altra voce che rispondeva: – Ma non diciamo stupidaggini, che cos'è questa, una prigione?

Scattai in piedi e gridai:

– È il nonno!

In quel momento la porta si aprí.

– Permesso, posso entrare? – chiese la voce e, prima che la maestra avesse aperto la bocca, ci trovammo davanti Babbo Natale.

Io ricaddi sulla sedia, senza sapere piú cosa pensare. Allora avevo ancora le idee piuttosto confuse in merito a Babbo Natale, e in casa nessuno faceva niente per chiarirmele. La nonna Antonietta spergiurava tutti gli anni di averlo incontrato da qualche parte con il suo sacco di doni; mamma e papà sembravano dargli poca importanza, ma mi dicevano che dovevo andare a letto presto, se no non portava i regali; e la nonna Teodolinda una volta aveva detto, sbuffando, che era meglio quando c'era la Befana. Solo il nonno Ottaviano non era mai entrato in queste faccende e, quando gli avevo chiesto un parere, mi aveva risposto che non se ne intendeva.

– Buongiorno, – disse Babbo Natale, – ho saputo che siete curiosi di conoscermi e cosí, siccome passavo di qui, mi sono detto: «Perché non facciamo un salutino?».

La voce era identica a quella del nonno e io cominciavo a chiarirmi le idee. Intanto Babbo Natale aveva deposto la grande gerla che aveva sulle spalle, dalla quale usciva una specie di borbottio.

– Un momento, prima dobbiamo distribuire i regali, – annunciò, guardando dentro la cesta, e cominciò a tirare fuori tanti pacchettini. Allora si scatenò il putiferio e tutti i bambini si lanciarono verso di lui. Babbo Natale diede a tutti un pacchetto e poi mi chiese:

– E tu, non vieni?

Io, infatti, ero rimasto al mio posto, perché non sapevo come comportarmi. Allora mi avvicinai e lui mi mise una mano sulla spalla.

– Adesso, bambini, andate al posto perché devo fare a Tonino un regalo particolare.

Mentre i miei compagni si sedevano con la massima rapidità, lui affondò un braccio nella gerla e tirò fuori Alfonsina.

– Questa è per Tonino, – disse, mettendomela in braccio.

Alfonsina quel giorno era bellissima, con le piume bianche e lucide e un fiocco rosso intorno al collo. I miei compagni avevano perso completamente la voce, la maestra invece ritrovò la sua in quel momento.

– E lei chi è?

– Sono il nonno di Tonino, – rispose il nonno, togliendosi il cappuccio e la barba finta. – Sono venuto da mia figlia a portare un po' di roba e allora ho pensato: «Andiamo a fare una sorpresa a Tonino e ai suoi compagni!». Be', adesso sono qui, e potete chiedermi quello che volete.

La maestra allora invitò il nonno a sedersi e disse al bidello, che stava ancora sulla porta, che se ne poteva andare. Il nonno si sedette, prese Alfonsina sulle ginocchia e cominciò a parlare di tante cose: parlò di Felice e dell'orto, di Alfonsina e delle sue oche, e anche della nonna Teodolinda. Io gli rimasi accanto, mentre i miei compagni lo ascoltavano senza fiatare, e mi sentivo come nel sogno, quando eravamo sul ciliegio e lui mi faceva volare.

Quando suonò la campanella, nessuno voleva tornare a casa e la maestra disse che il nonno ci aveva fatto passare una mattinata indimenticabile.

Da quel giorno nessuno rise piú di quello che scrivevo, anzi, alcuni bambini mi guardavano con un po' d'invidia.

A Natale il nonno venne a pranzo da noi e, siccome la sera se ne voleva tornare a casa a tutti i costi, la mamma mi chiese se avevo voglia di andare con lui.

– Un paio di giorni e poi ti veniamo a prendere.

Il nonno fece una faccia tutta contenta e disse alla
mamma che quello era il piú bel regalo che potesse fargli.

Preparammo in fretta le mie cose e partimmo, e questa
volta nessuno si affacciò alla finestra a salutare.

– Buon segno, – commentò il nonno. – Vuol dire che
cominciano a fidarsi. La prossima volta si dimenticheranno
perfino di venirti a prendere!

Il nonno era molto contento e per tutta la strada non
fece altro che cantare le canzoni che piacevano alla nonna
Teodolinda e raccontarmi di quando loro due andavano a
ballare.

– Tua nonna era cosí gelosa che se entrava una bella
ragazza e l'occhio mi ci cascava sopra per caso, dico per caso,
diventava una furia. Una volta saltò addosso a una e quasi se
la mangiava!

Io non riuscivo a immaginare la nonna Linda nelle vesti
di una cannibale: mi pareva piú adatta a fare la lotta libera, il
pugilato o qualcosa di simile, ed espressi queste perplessità al
nonno.

– Hai ragione, Tonino, ma questo è solo un modo di dire.
Però ti assicuro che quella volta fu davvero insuperabile. Ah,
se avessi visto che sberle, Tonino: una forza della natura!

– E tu cosa facevi?

– Be', io cercavo di separarle, ma sai, la nonna quando si scatenava...

Il nonno Ottaviano rideva divertito e ogni tanto scuoteva la testa.

– Non ti spiace che sia morta? – gli chiesi.

Avevo sempre visto che tutti, quando parlavano di un morto, facevano la faccia seria e sospiravano, anche se lo conoscevano appena. Il nonno, invece, quando mi parlava della nonna non era mai triste.

– Ma per me non è morta, Tonino: non si muore finché qualcuno ti vuole bene, ricordatelo.

E riprese a cantare. Cosí facemmo quel viaggio e io pensavo già all'estate e a tutto ciò che avremmo potuto fare insieme; invece, quella fu l'ultima volta che rimasi dal nonno.

Quando fummo vicini alla casa, vidi dalla strada Felice, tutto addobbato con lampadine e nastri bianchi: le lampadine stavano al centro dei nastri e quando si accendevano, Felice sembrava coperto di fiori come in primavera.

– Nonno, è meraviglioso! – gridai.

– Sí, lo credo anch'io, – disse il nonno. – Sai, mi è costato un patrimonio e tutti mi hanno dato del matto. Ma io mi sono detto: «Se viene Tonino, devo fargli una sorpresa che non dimentichi facilmente». Mi sono consultato anche con

Alfonsina e lei pure ha trovato che era una buona idea. Cosí mi sono dato da fare e... insomma, credo proprio che sia venuto bene. Felice dev'essere molto soddisfatto.

Felice in quel momento si accese di nuovo e, insieme alle lampadine, apparve sul ramo piú alto una grande scritta luminosa: BUON NATALE.

Arrivati a casa, il nonno accese il fuoco nel camino, poi mi chiese se volevo vedere un poco la televisione. Io gli dissi che preferivo che mi raccontasse una favola, come faceva la nonna Linda.

– Una favola? – fece lui, e sembrava un po' meravigliato.

– Perché, non ne conosci?

Lui rispose che in quel momento non se ne ricordava nemmeno una. Allora, siccome aveva una faccia molto dispiaciuta, gli dissi di non preoccuparsi, che gliela avrei raccontata io. Prendemmo delle poltrone e ci mettemmo davanti al fuoco, ma, dopo un poco che raccontavo, mi accorsi che il nonno non si muoveva.

– Dormi? – gli chiesi. Il nonno non rispose. Aveva la testa leggermente piegata sulla spalla, gli occhi chiusi e sembrava non respirare. Pensai che forse era morto come la nonna Teodolinda e mi sentii prendere dal terrore.

Proprio in quel momento, il nonno fece un gran respiro,

aprí la bocca, gonfiò una guancia e cominciò a russare.
– Grrr!... koff!... Grrr... – Allora mi sistemai meglio sulla
poltrona e mi misi a dormire anch'io. La mattina dopo mi
svegliai nel mio letto e sentii che il nonno, in cucina, stava
preparando lo zabaione.

Le feste passarono e io ritornai a scuola. Il sabato io e la
mamma andavamo dal nonno e qualche volta lui veniva a
pranzo da noi. Insomma, era tutto normale, mancava solo
la nonna Teodolinda e la mamma diceva che, piú passava il
tempo, piú si sentiva la sua mancanza.

In genere diceva queste cose quando si arrabbiava con la
nonna Antonietta. Allora, dopo che se l'era presa con Floppy
e con il nonno Luigi, cominciava a parlare della nonna Linda
e di come lei era diversa, e spesso diventava malinconica. A
me in quei momenti faceva pena e cercavo di consolarla. Una
volta le dissi che, secondo me, la nonna non era morta, ma si
era solo trasformata.

– Trasformata? – chiese la mamma con una voce un po'
strana. – E in che cosa?

– In un'oca, come Alfonsina.

– Chi ti ha detto una cosa del genere?

– Nessuno, ma se alla nonna piacevano tanto le oche,
perché non avrebbe potuto trasformarsi cosí?

La mamma non riuscí a trovare una risposta sensata e disse soltanto che era impossibile.

– Ma perché? – insistetti.

– Perché è impossibile, – ribatté lei. – La nonna è in cielo.

Invece io mi ero convinto, dopo un lungo ragionamento, che se non si muore finché uno ti vuole bene, come aveva detto il nonno, visto che la persona morta non si vede, vuol dire che si trasforma. E se si trasforma, sceglie per forza di diventare qualcosa che a lei, prima, piaceva molto. Perciò la nonna, di sicuro, era diventata un'oca.

Quando tornammo dal nonno, quel sabato, gliene parlai. Il nonno era seduto sotto il ciliegio a prendere un po' di sole, anche se faceva molto freddo.

Mentre la mamma sistemava la casa, mi misi vicino a lui e gli spiegai la mia teoria. Il nonno ascoltò in silenzio, con molta attenzione, e alla fine mi accarezzò la testa.

– Anch'io ho pensato a qualcosa del genere, sai? E io cosa potrei diventare? – mi domandò.

Non avevo nessun dubbio.

– Un ciliegio, – risposi.

– E tu?

– Non ci ho ancora pensato, ma forse mi piacerebbe

diventare un uccello. Cosí verrei a farti compagnia e a mangiarti tutte le ciliegie!

Il nonno sorrise, ma in quel momento mi accorsi che aveva l'aria stanca.

– Non ti senti bene, nonno? – gli chiesi.

Il nonno si alzò e si avviò verso casa.

– Benissimo, ma ho una spina qui dentro, – rispose, indicando il cuore.

IL CARNEVALE

La faccenda della spina mi aveva impressionato enormemente e al ritorno, per tutta la strada, non feci altro che pensarci. Innanzitutto mi domandavo come avesse fatto una spina a entrare nel nonno e ad arrivare al cuore, e facevo le ipotesi piú diverse: forse l'aveva ingoiata per sbaglio, forse aveva mangiato qualcosa di spinoso. Cosa poteva essere?

– Quali sono le cose spinose che si mangiano? – chiesi alla mamma.

– Cosa ti viene in mente? – ribatté lei. – I ricci di mare hanno le spine e si mangiano.

– Il nonno li mangia?

– Non credo proprio, lui non sopporta il pesce.

Dunque, i ricci non c'entravano.

– E poi?

– E poi che cosa? – La mamma stava litigando con un camion che ci buttava addosso i suoi gas puzzolenti e non aveva molta voglia di rispondermi.

– Ci sono altre cose spinose che si mangiano?

– I fichi d'India, le castagne...

Ecco, avevo trovato! Il nonno doveva avere mangiato delle castagne e forse, per errore... Ma com'era possibile? E poi le castagne si mangiano in novembre, non in febbraio. Scoraggiato, feci un ultimo tentativo con la mamma.

– Secondo te, una spina può entrare nella buccia di una castagna, cosí uno, senza accorgersene, se la mangia?

La mamma frenò di colpo e si sentí dietro tutto un suono di clacson.

– È da quando siamo partiti che stai facendo discorsi senza senso: non avrai mica la febbre, vero? – E mi appoggiò la mano sulla fronte. – Fresco. Allora, cos'è questa storia assurda della castagna che ingoia la spina, che un altro a sua volta ingoia?

Davanti alla domanda della mamma mi sentii uno sciocco; ma il problema c'era ed era troppo complicato per me, cosí non mi arresi.

Questa volta mi prese sul serio e, quand'ebbi finito di raccontarle quello che il nonno mi aveva detto, mi chiese:

– Ha detto proprio cosí?

Con diligenza ripetei la frase. Allora la mamma sospirò:

– Mai niente mi dice! – Poi si rivolse a me: – Il nonno intendeva dire che ha un problema, una preoccupazione che lo punge come una spina.

Ecco risolto il mistero; ma non poteva spiegarsi meglio, il nonno? Almeno non mi sarei preoccupato tanto!

Adesso, però, sembrava che la spina ce l'avesse anche la mamma, e sopra il sedile. Si girava, si rigirava e continuava a ripetere:

– Mai niente mi dice! Come si può stare tranquilli con un uomo del genere?

Non le dissi, perché era troppo agitata, che comunque lei tranquilla non ci stava con nessuno; e cosí arrivammo a casa.

Nei giorni seguenti, la mamma telefonò al nonno piú del solito. Le telefonate cominciavano sempre con: «Babbo, come stai?» e proseguivano con: «Hai bisogno?», «Non ti manca niente?». Il nonno stava bene e non aveva nessun bisogno; ma, piú lo ripeteva alla mamma, piú lei si agitava. Una volta papà perse la pazienza e le disse:

– Ma allora cosa deve dirti per farti stare tranquilla? Che è moribondo?

Il ragionamento di papà era molto logico, ma la mamma

non sembrò apprezzarlo per niente. Il fatto è che lei sosteneva
che il comportamento del nonno non era normale.

– Dovrebbe arrabbiarsi, con tutte queste telefonate; una
volta si sarebbe arrabbiato moltissimo. Perché adesso è cosí
calmo?

Papà trovò che la mamma sragionava e che aveva bisogno
di farsi curare; lei gli rispose che doveva farsi curare lui,
che si credeva un padreterno; papà ribatté che lui usava
semplicemente la logica e la mamma gli rispose che era
per questo che certe cose non le aveva mai capite e non le
avrebbe capite mai. Papà si arrabbiò e uscí sbattendo la porta
e la mamma si mise a pulire le piastrelle della cucina come
se le volesse consumare. Io di tutta quella discussione non ci
avevo capito niente, ma mi sembrava che la mamma stesse
esagerando e che papà avesse detto delle cose giuste. Invece,
aveva ragione lei.

Quando tornammo dal nonno, quel sabato pomeriggio,
lo trovammo di nuovo seduto sotto il ciliegio con Alfonsina
sulle ginocchia. Le altre oche stavano in giro per il cortile, ma
Alfonsina sembrava diventata la sua ombra, non lo lasciava
mai.

Ricordo che era una giornata molto fredda ed era carnevale;

infatti io avevo voluto andare da lui vestito da Superman, che allora era la mia passione perché sapeva volare. Il nonno indossava solo la giacca, stava appoggiato alla spalliera della sedia a occhi chiusi e teneva le mani sopra Alfonsina, che era tutta accovacciata, con il capo tra le ali.

La mamma fermò l'automobile davanti alla casa, come sempre, e quando lo vide cosí, lanciò un breve grido e si mise una mano davanti alla bocca.

– Tu resta qui! – mi ordinò e si precipitò verso di lui. Vidi che lo toccava e poi lo scuoteva con forza. Il nonno aprí gli occhi e la mamma gli parlò fitto fitto. Lui scosse la testa, poi la mamma lo aiutò ad alzarsi e si avviarono verso casa, il nonno diritto, ma con un braccio sotto quello della mamma, e Alfonsina dietro.

Non capivo: era la prima volta che il nonno non mi faceva nemmeno un cenno di saluto e sembrava ignorarmi. Mi sentii cosí solo e infelice che forse non mi sarebbe bastato nemmeno riuscire a volare come Superman per sentirmi meglio.

Aspettai un poco, sperando che qualcuno si ricordasse di me e del mio costume di carnevale, ma non si vedeva anima viva. Allora uscii dalla macchina e gironzolai per il cortile: in casa non volevo entrare, perché mi sembrava giusto che fossero loro a cercarmi; ma nessuno lo faceva e a me venne una gran voglia di piangere. Cosí mi accovacciai sotto il ciliegio, con la testa sulle ginocchia, e cominciai a singhiozzare. Per la verità, dopo un pochino mi era già passata, ma mi sforzai di continuare, pensando che se la mamma o il nonno fossero usciti e mi avessero visto cosí, si sarebbero vergognati di quello che avevano fatto.

E infatti la mamma uscí, andò alla macchina, aprí lo sportello, lo richiuse e cominciò a chiamarmi. Io la sbirciavo tra le ginocchia e mi sentivo molto soddisfatto. Poi la mamma mi vide, venne da me e mi tirò su di peso.

– Si può sapere cosa ti prende? – mi chiese, e si mise a scuotermi come se volesse farmi cadere tutti i capelli dalla testa. – Il nonno non sta bene e tu, invece di entrare, stai qui fuori al freddo a prenderti una polmonite? – E continuava a scuotermi.

La reazione della mamma era cosí diversa da quella che mi aspettavo, che questa volta mi misi a piangere sul serio. E lei cambiò subito.

– Ma no, il nonno non ha niente di grave, tesoro! – mi disse, abbracciandomi. – È solo preoccupato per una sua faccenda; si aggiusterà tutto, vedrai!

Avrei voluto dirle che stavo piangendo per me, non per

il nonno; ma se prima, che avevo ragione, mi aveva tutto
sbatacchiato, come avrebbe reagito adesso? Preferii non dire
niente e la mamma continuò per un po' a stringermi e ad
accarezzarmi.

– E adesso entriamo, – concluse, – altrimenti ti prenderai sul
serio una polmonite.

In cucina vidi il nonno seduto a tavola davanti a una tazza
di latte fumante. Vicino aveva una grande busta gialla, dalla
quale uscivano alcune carte. Il caminetto era acceso, ma
faceva freddo anche dentro e la mamma mi fece mettere il
cappotto.

– Che bel costume hai! – esclamò il nonno, che finalmente
si era accorto di me. – Se ti vedesse la nonna Linda vestito
cosí! Che cos'è, da acrobata? Quand'ero bambino mi sarebbe
piaciuto tanto lavorare in un circo e fare l'acrobata! Invece
ho fatto l'ortolano come mio padre... e adesso quelli là
pretendono di togliermi la terra! La roba mia!

Disse queste ultime parole quasi gridando, poi prese la
busta e la buttò lontano.

Io ero impressionato e quasi spaventato alla vista del
nonno, perché sembrava lui e un'altra persona insieme.

– Non fare cosí, babbo, – disse la mamma raccogliendo
le carte. – Te l'ho detto, andremo in Comune, io e Piero, e

sistemeremo tutto. E se non ci riusciremo noi, ci rivolgeremo a un avvocato.

– In Comune ci sono già andato, non c'è niente da fare, – ribatté il nonno con voce cupa. – Maledetta quella strada e maledetti loro! Mi vogliono togliere la terra, quei maledetti!

– Calmati, babbo, ti devi calmare! – ripeté la mamma. – C'è Tonino qui.

Allora il nonno si riscosse come se si svegliasse da un sogno, e mi guardò. Ma questa volta mi guardò veramente e mi sorrise.

– Vieni qua, giovanotto! Penserai che tuo nonno è matto, vero? Già lo dicono in tanti! Be', cosa ci fai vestito cosí?

– Oggi è carnevale, nonno.

E mi veniva da piangere al pensiero che i miei amici erano in giro con i loro costumi e facevano festa e io ero lí da due ore, a sentire il nonno che gridava, e nessuno mi diceva niente.

– È carnevale e vieni a perdere tempo qua da me? Felicità, ma come t'è venuto in mente di portarmi Tonino, oggi!

– E quando te lo porto? Siamo liberi solo il sabato! E poi è voluto venire lui a farti vedere il suo costume!

– Davvero? Ma allora dobbiamo festeggiare! – disse il nonno, che era ritornato quello di sempre. – Adesso facciamo le frittelle dolci che piacevano tanto alla mamma quand'era piccola. E poi... musica!

– Babbo! – esclamò la mamma.

– Babbo niente! – fece lui con voce brusca. – Tu comincia a preparare, che io arrivo subito!

La mamma, sospirando, si mise un grembiule e cominciò a organizzarsi.

– Ti posso aiutare? – le domandai.

– E va bene! Per fortuna il carnevale viene una volta all'anno!

Non sembrava molto contenta, ma mentre impastava le frittelle cambiò umore e si mise a cantare.

– Quando ero bambina, la nonna Linda a carnevale me le faceva sempre. E mentre le preparava, cantava. Io stavo proprio dove sei tu adesso e l'aiutavo; e alla fine avevo tutta la faccia e le mani sporche di farina come te. Veniva un sacco di gente da noi, a carnevale: si mangiava, si ballava, si rideva... E il nonno, vedessi che matto!

Mentre la mamma parlava, una fisarmonica cominciò a suonare dietro la porta della cucina: la mamma s'interruppe e si mise ad ascoltare.

– Eccolo qua! – disse piano, scuotendo la testa e sorridendo.

– È permesso? – chiese il nonno.

– Entra, nonno! – gridai. Non sapevo che suonasse ed ero impaziente di vederlo.

La porta si spalancò di colpo, ma non si vedeva nessuno: si sentiva soltanto la fisarmonica suonare al di là, nel buio.

– Nonno, entra! – gridai ancora. Ero cosí eccitato che non mi riusciva di tenere ferme le gambe.

– Posso entrare veramente? – ripeté lui.

La mamma scoppiò a ridere e io gridai con tutto il mio fiato:

– Síííí!

– Va bene, visto che un bambino me lo chiede con tanta insistenza, io...

La fisarmonica s'interruppe un attimo, poi fece una specie di gorgheggio e infine:

– Entro! – esclamò il nonno, entrando in cucina con un lungo passo.

Aveva in testa un cappello a cilindro alto alto e tutto storto, un naso finto con un paio di occhiali neri appiccicati sopra e una cravattina a pallini rossi. Facendo il passo, il cappello gli cadde dalla testa e, mentre si piegava a raccoglierlo, cadde anche il naso finto con gli occhiali. Io e la mamma ci mettemmo a ridere.

– Si vede che sono diventato vecchio, – sospirò il nonno.

– Una volta non mi sarebbe successa una cosa del genere, neanche a volerla.

– Ma no, babbo, sei straordinario, – disse la mamma e lo abbracciò stretto. Al nonno spuntarono le lacrime agli occhi e tirò su con il naso come un bambino; e io, che non lo avevo mai visto fare cosí, m'impressionai anche di quello e non sapevo piú se ridere o se piangere.

– Dài, suonaci un po' di musica, mentre io e Tonino prepariamo le frittelle!

Il nonno si soffiò il naso, si sedette e si mise a suonare.

La mamma ogni tanto cantava e ogni tanto lasciava le frittelle e si metteva a ballare da sola. Cosí impiegammo un sacco di tempo, ma in compenso mi divertii molto, perché la mamma mi lasciò fare tutto quello che volevo.

Quando finimmo di preparare le frittelle, la mamma le mise a friggere, io le coprii ben bene di zucchero e ci mettemmo a tavola a mangiare. Il nonno era andato in cantina a prendere una bottiglia di vino dolce e volle a tutti i costi versarmene un po' nel bicchiere.

– Ma babbo, è ancora un bambino!

– Sciocchezze, alla sua età lo bevevi regolarmente! È o non è tuo figlio?

Cosí mangiammo, bevemmo e suonammo, fino a quando la mamma non guardò l'orologio e disse:

– Babbo, ormai sono le otto. Ce ne dobbiamo andare.

– Ah, sí! – fece il nonno, ritornando serio. Andò nell'altra stanza e quando rientrò non aveva piú la fisarmonica, né il naso e il cappello.

– Be', è stato proprio un bel pomeriggio, – disse. – Mi sembrava quasi di essere tornato ai bei tempi. Invece...

– Babbo, te l'ho già detto, non dovresti rimanere qui da solo, ti fa male, ti fissi...

– E dove dovrei andare? – chiese il nonno. – A casa tua, forse?

– Sí, vieni da noi! – lo supplicai.

Il nonno Ottaviano sorrise e mi accarezzò la testa.

– Sai che cosa succede agli alberi vecchi, quando vengono trapiantati? Muoiono. Dillo a tua madre.

– Testone! – lo rimproverò allora la mamma e se ne andò sbuffando.

Per strada mi addormentai e mi risvegliai la mattina dopo nel mio letto. La nonna Antonietta mi raccontò che ero tornato a casa «piú morto che vivo» e conciato «in una maniera pietosa».

– Chissà che cosa avete combinato dal nonno Ottaviano! – disse.

Per farle rabbia io non le raccontai un bel niente, andai solo a dare un'occhiata al costume da Superman che stava ai piedi del letto, a terra: era tutto infarinato e pieno di macchie di unto e di vino.

La mamma lo fece lavare, ma le macchie di vino non se ne andarono e io non lo potei piú mettere. All'inizio mi dispiacque, ma ora quel costume macchiato non lo cambierei nemmeno con due modellini della Ferrari e della Toyota, che sono la mia passione, perché è l'ultimo ricordo felice del nonno.

Subito dopo il carnevale io mi ammalai e rimasi a casa da
scuola per venti giorni. I primi giorni avevo la febbre alta,
la gola mi faceva un male terribile e quando tossivo papà
mi diceva che parevo un trombone stonato. Il dottore disse
che mi ero preso una brutta bronchite e mi fece tenere il
ghiaccio in testa per via della febbre. La nonna Antonietta e il
nonno Luigi venivano a trovarmi tutti i giorni e tutti i giorni
dicevano alla mamma:

– Di certo il bambino s'è ammalato in «quella» casa, fredda
com'è!

La mamma, a forza di sentirselo dire, perse la pazienza
e una volta rispose ai nonni che ci sentiva benissimo e che
potevano risparmiarsi la fatica di ripeterlo. I nonni si offesero
molto e se ne andarono e la mamma tirò un sospiro di sollievo
e disse: – Grazie al cielo! – Poi andò a telefonare al nonno
Ottaviano.

In quei giorni la mamma era sempre nervosa, sia per la
mia malattia sia a causa del nonno. Lui infatti telefonava in
continuazione e sentivo che lei gli ripeteva:

– Non preoccuparti, babbo, non ti devi preoccupare!

Io pensavo che il nonno fosse preoccupato per me e
cominciai a farmi l'idea che, se si preoccupava tanto, dovevo
essere molto malato. Una volta mi misi anche a piangere,

perché mi ricordai che la nonna Linda dopo la malattia era
morta e dissi alla mamma che non volevo morire anch'io.

– Ma cosa dici, il nonno non è preoccupato per te! Figurati,
per lui le malattie non esistono! E poi tu non hai niente di
grave, è lui che sta male: con questa storia dell'esproprio non
si dà pace, non sembra nemmeno piú la stessa persona!

– Che cos'è l'esproprio?

– È il Comune che gli vuole togliere una parte dell'orto,
perché devono allargare la strada. Devono farci una
superstrada.

– Ma perché il nonno non glielo impedisce?

– Perché non si può. Io e papà siamo andati in Comune a
parlare con il sindaco e l'assessore, ma non c'è molto da fare.
Dovremo rivolgerci all'avvocato, – sospirò la mamma.

– È questa la spina nel cuore?

– Sí, e se non gliela togliamo alla svelta, non so quello che
succederà. Là, solo, con questa idea fissa: almeno ci fosse la
nonna!

Quella notte sognai la nonna Teodolinda. Era vestita con
un camice bianco da chirurgo e teneva in braccio Alfonsina.
La nonna era tutta allegra e sorridente e diceva al nonno che
gli avrebbe tolto la spina dal cuore. Lui stava sdraiato su un

letto, legato come un salame e con solo le mutande, come quando avevamo fatto il bagno nel fiume. Anche il nonno sorrideva e diceva alla nonna di sbrigarsi, perché doveva andare nell'orto. Allora la nonna staccava una penna dalle ali di Alfonsina e cominciava a fargli il solletico, e il nonno rideva e diceva: «Fermati, Linda, fermati!». Poi non vidi piú niente e dopo un po' rividi la nonna nel cortile, vestita da fantasma, che inseguiva le oche con quella penna in mano.

«Gliel'hai tolta la spina?» le domandai. Ma lei non mi rispose e quando mi svegliai non sapevo cosa pensare.

LA CASA
DEI NON-COLORI

Alla fine di marzo, una mattina, ci svegliammo con la neve. Fu una cosa bellissima ma anche strana, perché pochi giorni prima, con la maestra, eravamo usciti in giardino a guardare la primavera e avevamo riempito due pagine di osservazioni fitte fitte.

– Vedete che le gemme si sono dischiuse?

E noi: – Síííí!

– Vedete l'erba nuova? Di che colore è?

– Verde!! – strillavamo. Ma lei, che non era mai contenta:
– E poi?

– Gialla! – disse qualcuno.

– Ma non è gialla, osservate bene: è di un verde tenero, vicino al giallo. Scrivete. E ora guardate qui...

Insomma, una noia. E tutte le volte che mi allontanavo per guardare come mi pareva, lei:

– Antonio, non distrarti, vieni qui. Altrimenti come fai a scoprire la primavera?

Risposi alla maestra che la primavera la conoscevo già e che da mio nonno era piú bella, perché Felice si copriva tutto di fiori. Lei se la prese e quando la mamma mi venne a prendere, le fece un mucchio di storie sul fatto che non stavo attento e che non avrei imparato a scrivere come gli altri. Cosí, quando due giorni dopo mi svegliai con la neve, pensai con soddisfazione che la maestra, sulla primavera, si era sbagliata. Volevo dirglielo appena arrivato a scuola, ma lei quella mattina non venne e noi ci divisero tra una maestra e l'altra. Io capitai con una molto simpatica, che a un certo punto ci portò in giardino e ci fece giocare con la neve per un'ora intera.

– E dopo dobbiamo scrivere? – le chiesi.

– Ma no, oggi c'è la neve, è vacanza!

Nel pomeriggio soffiò il vento, tornò il sereno e la neve si sciolse.

– Marzo è proprio pazzo, – sentenziò la nonna Antonietta. – Questa notte gelerà.

La mamma quella sera rientrò un po' tardi, perché al negozio aveva avuto un problema con una cliente.

La mamma aveva un negozio in società con un'amica, dove

vendevano tutte cose vecchie, tipo abiti, cappelli, bambole, orologi, gioielli e altro. La nonna Antonietta quelle cose le chiamava «carine, di gusto, ma non antiche»; e la mamma «dell'età della nonna Antonietta». Insomma, la mamma ci teneva molto al suo lavoro e si arrabbiava perché la nonna non gli dava importanza. Quella sera, dunque, lei fece tardi e solo dopo cena si ricordò che non aveva chiamato il nonno Ottaviano.

– A quest'ora dorme, lo chiamo domattina, – disse, e io me ne andai a letto.

Al mattino presto suonò il telefono. Io ero in cucina e stavo facendo colazione. Mi ricordo che avevo la tazza piena di latte e cacao e facevo le barchette con i biscotti, come tutte le mattine. Era uno dei miei giochi preferiti. I biscotti erano duri e per un po' galleggiavano: io ne mettevo a bagno uno alla volta, lo portavo un po' in giro per la tazza con il cucchiaio e quando cominciava ad affondare, *paf*, me lo sparavo in bocca. La mamma diceva che quei biscotti si rubavano ogni mattina dieci minuti del mio sonno e della sua pazienza, ma quando era di buon umore mi lasciava fare.

Dunque la mamma andò a rispondere e la sentii dire soltanto:

– Dio mio!

Poi chiamò papà e corse in camera: apriva e chiudeva i cassetti e intanto parlava, ma cosí in fretta che non si riusciva a capire niente. Sentii papà che le diceva: – Calmati! – poi lui uscí dalla camera e mi passò davanti senza dirmi una parola.

Era già tutto vestito, mentre di solito a quell'ora era in bagno in pigiama, e anche la mamma lo era.

– Tonino, – mi disse la mamma, – questa mattina a scuola ti porta il nonno.

– Quale nonno? – chiesi io come uno stupido. Non è che non lo sapessi, ma non mi andava che loro si parlassero in segreto e che se ne andassero via in quel modo.

– Come quale nonno? – gridò la mamma. – Ti ci metti anche tu, adesso?

– Io a scuola con il nonno non ci vado, – replicai.

Pensavo che mi avrebbe spiegato qualcosa, invece mi diede un ceffone. – E finisci subito quel latte, basta con i giochi! – mi ordinò.

Io scoppiai a piangere. Papà stava per dire qualcosa, ma in quel momento suonarono alla porta e andò ad aprire. Era la nonna Antonietta, che appena entrata disse alla mamma:

– Oh, poverina! – e l'abbracciò.

– Non è mica morto!

– Sí, certo, ma che guaio! E adesso dove vai, all'ospedale?

La mamma fece segno di sí con la testa.

– Allora, pensate voi a Tonino?

– Ma certo, non ti preoccupare! Andate, andate!

La nonna spinse quasi mamma e papà fuori dalla porta
e poi tornò in cucina, dove io avevo deciso di far pagare a
qualcuno il ceffone che avevo appena ricevuto.

Subito informai la nonna che a scuola con il nonno non ci
sarei andato.

Come immaginavo, la nonna cominciò a pregarmi di fare il
bravo, ma piú lei insisteva, piú io tenevo duro. Allora si mise
davanti a me e, con la faccia che fa Floppy quando gli dicono
che non può uscire, mi chiese:

– Ma perché, Tonino, non vuoi essere ragionevole?

Io avevo messo a bagno l'ultimo biscotto e, per farla
arrabbiare, cominciai a portarlo in giro per la tazza con un
dito e a fare il motoscafo. Lei diventò tutta rossa, mi afferrò il
polso, mi strappò la mano dalla tazza e gridò:

– Vergognati, tuo nonno sta morendo e tu fai tutti questi
capricci!

Non so se fu la faccia della nonna o se furono quelle parole
a spaventarmi tanto, ma ancora oggi, quando penso a quella
scena, mi viene la nausea come se fossi sulle montagne russe.
Allora fu ancora peggio. Appena la nonna ebbe finito di

gridare, io spalancai la bocca e le vomitai addosso tutto il latte
con i biscotti.

Naturalmente la nonna si allarmò moltissimo e corse subito
a chiamare il nonno Luigi; poi tutti e due cominciarono a
farmi un mucchio di domande su quello che avevo mangiato
a cena. Quando le dissi che avevo mangiato l'uovo fritto con
le patatine, la nonna alzò gli occhi al cielo e disse che tutto era
chiaro.

– È un'indigestione. Adesso te ne stai a casa, al caldo, e
tutto ti passa.

Cosí rimasi tutta la mattina con loro e con Floppy e,
siccome non parlavo e rispondevo a malapena alle domande,
la nonna decise che dovevo avere la febbre e mi mise a letto
sotto un mucchio di coperte.

Ogni tanto mi chiedeva:

– Cosa ti senti? Dove ti fa male?

Io rispondevo che non lo sapevo, ma male ci stavo, sul serio,
peggio di quando la nonna Linda era morta.

A mezzogiorno tornò la mamma e sentii lei e la nonna
Antonietta che parlavano in un'altra stanza.

– Davvero? – diceva la mamma. – Ma se stava benissimo!

Poi venne in camera, ma io chiusi gli occhi e feci finta
di dormire. Avevo paura di parlare con lei. La mamma si

avvicinò, mi toccò la fronte e uscí. Poco dopo i nonni se ne andarono e la mamma rientrò. Si sedette sulla sponda del letto e mi chiese:

– Perché fai finta di dormire?

Allora io aprii gli occhi e le dissi:

– Il nonno è morto, vero?

– Cosa ti viene in mente! S'è preso solo una broncopolmonite, quel vecchio pazzo!

– Allora non morirà?

La mamma appoggiò la testa sul cuscino vicino a me e mi strinse forte.

– No, non morirà, anche se stavolta l'ha scampata bella. Lo sai che cosa ha combinato? Ha fatto fuoco tutta la notte sotto il ciliegio, perché le gemme non cadessero. Questa mattina, quando l'hanno trovato, era mezzo assiderato. E tu che cos'hai? Cosa ti senti?

Risposi alla mamma che non avevo piú niente e che stavo bene. Lei non mi chiese altro e io non le raccontai l'episodio della nonna, perché era troppo complicato da spiegare.

Ma da allora non ho piú mangiato il latte e cacao e le barchette con i biscotti non le ho fatte piú.

Quindici giorni dopo che il nonno era quasi morto assiderato, la mamma annunciò che ormai stava benino e che i medici lo volevano dimettere dall'ospedale.

Mentre stava male e, come diceva la mamma, non aveva nemmeno la voce per respirare, chiedeva in continuazione di Alfonsina e di Felice. La mamma aveva portato Alfonsina da Emilio, ma per farlo stare tranquillo gli aveva detto che era a casa nostra e che stava benissimo. Quanto a Felice, un giorno l'andammo a trovare, perché la notte aveva fatto freddo di nuovo e il nonno non aveva dormito per paura che le gemme cadessero.

Felice stava proprio bene. Io ci volli salire sopra per controllare le gemme e vidi che cominciavano a gonfiarsi: forse avrebbe avuto i fiori per quando il nonno sarebbe tornato a casa. Lo dissi alla mamma, ma lei scosse la testa.

– Non credo che potrà tornare a casa cosí presto.

Quando la mamma annunciò che il nonno stava per essere dimesso, venne fuori una grande discussione tra lei, papà e i nonni. Il nonno voleva tornare a casa sua a ogni costo e tutti sostenevano che era una pazzia.

– Almeno lo tenessero dentro un altro po', – disse la nonna Antonietta.

Papà rispose che non era una soluzione, ma andò a parlare

con i medici e il nonno rimase un'altra settimana in ospedale.
Alla fine della settimana disse a tutti che ormai si sentiva
bene e che sarebbe uscito anche se lo legavano al letto.

La mamma tornò agitatissima.

– Non può tornare a casa, non è in condizione di vivere
solo.

– Allora cosa suggerisci? – chiese papà. – A casa sua no, la
casa di riposo nemmeno...

La mamma gli lanciò un'occhiataccia.

– Potremmo tenerlo qui per un po' di tempo, poi si vedrà...

– Si vedrà?! E pensi che tuo padre accetti di vivere in un
appartamento, con le abitudini che ha lui?

– Che cosa vorresti dire?

Papà alzò le spalle e uscí.

– Sempre cosí! – commentò la mamma con aria tragica. – Se
si tratta dei suoi genitori, tutto è permesso... E quell'idiota di
cane, poi!

Quando la mamma se la prendeva con Floppy, voleva
dire che era già molto arrabbiata e che poteva litigare da un
momento all'altro.

Allora mi venne un'idea:

– Se prendiamo Alfonsina con noi, il nonno ci viene piú
volentieri.

– Alfonsina?! – fece la mamma. – E dove la mettiamo?

Le dissi che se i nonni si tenevano Floppy, noi potevamo
prenderci Alfonsina, che certamente era piú intelligente.

– Ah, questo è vero! – disse la mamma. – Ma ve ne occupate
tu e il nonno, io non ne voglio sapere!

Le giurai che ad Alfonsina avremmo pensato noi e che non
avrebbe dato nessun fastidio. A papà lo dovetti giurare tre
volte, perché proprio non si voleva convincere. Alla fine gli
dissi:

– Se disturba anche solo una volta, ci puoi cacciare di casa
tutti e tre.

E papà finalmente accettò:

– E va bene, prendiamoci anche l'oca! Sempre meglio di
una mucca!

Papà alle volte è abbastanza spiritoso.

La vigilia dell'uscita del nonno dall'ospedale, di
pomeriggio, io e la mamma andammo da Emilio a prendere
Alfonsina. La trovammo in cortile. Quando ci vide ci corse
incontro, gridando e battendo le ali.

– Cosa fa, – chiese la mamma, che di oche non capisce
niente, – ci salta addosso?

Alfonsina mi fece una gran festa. Io le spiegai che l'avrei

portata dal nonno, ma che prima doveva lavarsi perché era tutta sporca. Lei ubbidí e si fece portare al fiume, fece un lungo bagno, poi uscí, si scrollò tutta ed entrò in automobile, dove si piazzò tranquillamente sul sedile posteriore.

– È incredibile! – esclamò la mamma. – Dieci volte piú in gamba di quel cane!

A casa le misi un bel fiocco rosso, le preparai la cesta e la ciotola del cibo, poi la sistemai sul terrazzo.

La notte mi svegliai, perché avevo sentito battere contro i vetri della finestra e mi alzai, ma Alfonsina dormiva nella sua cesta.

Pensai: «Forse è stata la nonna Teodolinda, che è venuta a salutarmi», e mi riaddormentai contento.

Il giorno dopo, quando tornai da scuola, trovai il nonno già a casa, seduto in camera mia con Alfonsina sulle ginocchia.

– Nonno, sei tornato! – gridai e corsi ad abbracciarlo.

Il nonno sorrise e cercò di rialzarsi, ma per il peso di Alfonsina non ci riuscí. Era dimagrito e sembrava tanto piú vecchio di prima. Capii che non ce l'avrebbe piú fatta a salire sul ciliegio e mi sentii triste.

– Adesso lascia tranquillo il nonno, che deve riposare, – disse la mamma e l'aiutò a spogliarsi e a mettersi a letto.

Avevamo preparato un letto in camera mia, che era grande

e aveva la finestra sul giardino del palazzo; cosí il nonno
poteva vedere un po' di piante, anche se non erano alberi,
ma solo rose e cespugli. Io avevo fatto anche due disegni di
Felice, uno con i fiori e uno con le ciliegie, e li avevo attaccati
al muro sopra il suo letto; ma il nonno quel giorno non li
guardò nemmeno e io ci rimasi male. Insomma, era lui, ma
sembrava un altro.

Quando lo dissi alla mamma, mi spiegò che il nonno era
stato tanti giorni in ospedale e che era confuso; disse che
doveva riabituarsi a stare fuori.

– Sí, ma poi torna come prima?

La mamma non mi rispose.

Il nonno rimase a letto per tutto il pomeriggio con la cesta
di Alfonsina vicino, e la sera disse che non se la sentiva di
mangiare.

– Su, babbo, non fare cosí, – lo rimproverò la mamma.
– Guarda che ti riportiamo all'ospedale.

La mamma era tornata dal negozio con un pollo arrosto e le
patatine, che a me piacevano tanto, e una pizza per lei.

– Sono tutte porcherie, – si lamentò il nonno, – tua madre
non le avrebbe mai comprate.

La mamma respirò forte.

– Allora dimmi quello che vuoi, che te lo preparo.

– Non voglio niente, voglio tornare a casa mia, – rispose il nonno e si girò dall'altra parte.

A tavola la mamma tagliava la pizza come se volesse segare il piatto.

– Se continua cosí andiamo bene! La casa, il lavoro, l'oca e mio padre!

– A me il pollo piace, – dissi.

– Non mangiare con le mani! E poi il nonno ha ragione, questi polli sono di stoppa, non li compreremo piú!

Papà quella sera era fuori, cosí la mamma poté continuare a prendersela con il pollo e le patatine, e poi con la pizza e la cucina della nonna Antonietta, che papà diceva che era migliore della sua: e secondo me aveva ragione.

Quando andai in camera per dormire, il nonno mi domandò:

– Cosa aveva tua madre da brontolare?

Glielo spiegai e lui sembrò tutto soddisfatto.

– Tale e quale la povera Linda! – esclamò. – Che caratterino aveva tua nonna! Ti ho raccontato di quella volta che litigò con il macellaio?

Era stato per una faccenda di trenta grammi di differenza su delle bistecche, mi spiegò. Il macellaio diceva che dipendeva dal peso della carta e lei diceva che lui glieli aveva rubati. Insomma, ci fu una discussione e alla fine la nonna, siccome il macellaio voleva avere ragione, prese diecimila lire, ne strappò un pezzo e pagò.

«Questo lo tengo per i trenta grammi che mancano», disse. Dopo questo racconto, al nonno venne fame.

– Perché non vai a prendermi un po' di pollo, e magari anche due patatine?

– Nonno, hai detto che facevano schifo!

– Ma no, era solo per fare arrabbiare un po' tua madre!

Alla mamma questo non lo raccontai e nemmeno dissi al nonno che, quando ero andato in cucina, lei aveva detto: «È peggio di un bambino!». Cosí quella sera ce ne andammo a dormire tranquilli.

Il mattino dopo il nonno si alzò e disse che doveva tornare a casa, perché aveva sognato che avevano tagliato il ciliegio.

– Sono fantasie, – gli rispose la mamma. – Il ciliegio sta benissimo, l'abbiamo visto io e Tonino due giorni fa.

– È vero, nonno, era pieno di gemme. Tra poco fiorisce.

Lui insistette che doveva tornare a casa, perché di sicuro era successo qualcosa.

– Ma cosa vuoi che sia successo, babbo! Devi smetterla con queste fissazioni. In Comune il progetto è fermo, la strada non si sa piú se la faranno; e tu non puoi andartene là da solo, non ti sei ancora rimesso.

– Io qui non ci sto neanche se mi leghi! – gridò il nonno, alzandosi in piedi di scatto.

Anche la mamma si alzò e allungò le mani verso di lui. Chissà perché pensai che lo volesse picchiare, invece gli mise solo le mani sulle spalle e lo fece sedere.

– Senti, babbo, se mi prometti di stare tranquillo, appena ho un po' di tempo ti porto a vedere la casa, cosí ti convinci che tutto è a posto.

Il nonno fece di sí con la testa e riprese a bere il suo latte in silenzio.

Quando uscimmo, la mamma era cosí nervosa che in garage inserí per sbaglio la retromarcia e ruppe tutti e due i fanalini dell'auto. Per giunta quella mattina papà, che mi accompagnava sempre a scuola, era uscito presto perché aveva un progetto da finire e lei doveva essere in negozio alle nove per sostituire la sua amica ammalata.

Lungo la strada continuava a prendersela con tutti, finché a un semaforo un vigile le disse che aveva gli stop che non funzionavano e le fece la multa. La mamma prima cercò di spiegargli come erano andate le cose, ma siccome lui insisteva che senza gli stop non si può circolare, perse la pazienza.

– Ma cosa vuole che mi importi dei suoi stop! Ce l'ha lei
un padre solo e malandato, appena uscito dall'ospedale? E un
figlio da portare a scuola? E due suoceri che pensano solo al
loro cane? E allora?...

E partí a razzo sotto il naso del vigile, che cominciò a
fischiare. In quel momento pensai che il nonno aveva ragione,
la mamma era proprio in gamba, e glielo dissi.

– Meno male che ci sei tu! – sospirò lei con le lacrime agli
occhi.

A scuola la maestra ci fece scrivere due pensierini sulla
primavera. Io parlai del nonno, della macchina rotta e della
multa, e riempii tutta la pagina. Ma la maestra disse che
non c'entravano niente con la primavera e me lo scrisse sul
quaderno.

Due mesi dopo arrivò un'altra multa, perché quella mattina
la mamma, al semaforo, era partita con il rosso.

Questa volta non scrissi niente sul quaderno, ma a casa
disegnai il vigile all'ospedale con le gambe ingessate e la
moglie, lí vicino, che piangeva. Lo feci vedere alla mamma,
ma lei disse che il vigile aveva fatto il suo dovere e io pensai
che con lei non ci si capiva mai niente.

Il nonno per alcuni giorni non parlò piú di tornare a
casa e si comportò normalmente. Cioè, normalmente come

l'intendevano la mamma e la nonna Antonietta, non com'era
lui prima. Era sempre molto tranquillo e silenzioso e passava
la maggior parte del suo tempo con Alfonsina. Certe volte
lo trovavo seduto sul terrazzo al sole, altre in giardino, con

Alfonsina in braccio. Passeggiava avanti e indietro e parlava con lei a voce bassa.

La nonna Antonietta una volta disse alla mamma:

– Non sarebbe meglio che l'oca rimanesse in casa?

– Perché?

– Sai, i vicini...

– Che cosa c'è di strano a portare un'oca in braccio? E quelli
che portano i cani a passeggio e con la scusa di guardare una
vetrina gli fanno fare per terra tutto quello che vogliono?

La nonna Antonietta diventò rossa e non disse piú
niente. Un giorno domandai al nonno che cosa diceva ad
Alfonsina.

– Eh, parliamo di tante cose! Di come si stava bene una
volta, quando c'era la Linda, di quei maledetti che mi vogliono
prendere la terra... Di tante cose... – Il nonno guardava nel
vuoto.

– E lei ti risponde?

Improvvisamente mi sorrise, come faceva una volta, e mi
strizzò l'occhio.

– Certo, non è mica un'oca, lei!

Il sabato, era ormai una settimana che stava con noi, il
nonno chiese alla mamma se l'accompagnava in campagna a
vedere il ciliegio.

– Oggi no, babbo. Ho un mucchio di lavoro al negozio,
senza Luisa. Vediamo se ti può accompagnare Piero.

Ma il nonno non voleva andare con papà e papà non voleva
andare con il nonno. Allora la mamma disse:

– La settimana prossima, appena torna Luisa, ti ci porto io.
Anzi, sai che cosa facciamo? Non mando a scuola Tonino e ci
facciamo tutta la giornata in campagna, noi tre e Alfonsina,
come una volta!

Il nonno sembrò molto contento e anche la mamma fu
contenta e io fui il piú contento di tutti. Sapevo che Felice
era ormai in fiore e non vedevo l'ora di salire tra i suoi rami.
E magari, con l'aiuto di una scala, ce l'avrebbe fatta anche il
nonno.

Purtroppo Luisa non tornò all'inizio della settimana, come
aveva promesso, ma solo il giovedí.

La mamma, quando ripensava a quello che era successo,
diceva sempre:

– Per tre giorni, per tre maledetti giorni! Non poteva tornare
prima? – e si metteva a piangere.

Ma papà rispondeva che «a posteriori» era facile fare
questi discorsi. Diceva proprio cosí, e la mamma, quando
sentiva quella parola, si arrabbiava e finivano per litigare.
In quel periodo litigavano molto e dopo litigarono ancora
di piú.

Quando seppe di Luisa, la mamma disse al nonno che
saremmo andati in campagna il giovedí e lui fece di sí con

la testa. Il mercoledí, quando io e la mamma tornammo per
il pranzo, non lo trovammo in casa. Sul momento la mamma
non si preoccupò e cominciò a preparare la tavola.

– Scendi in giardino e fai salire il nonno, – mi disse.

Ma il nonno in giardino non c'era.

– Sarà su dai nonni, mangerà con loro.

Nemmeno là c'era.

– L'abbiamo visto questa mattina, quando siamo usciti
con Floppy, che passeggiava avanti e indietro con l'oca in
braccio, – spiegò il nonno Luigi alla mamma. – L'abbiamo
anche salutato, ma lui non ci ha risposto.

– E com'era? Normale?

– Sí... – rispose la nonna Antonietta, – forse era un po'
strano... Ma sai, tuo padre è sempre stato... – Per poco
la mamma non le sbatteva la porta in faccia. – Felicità,
hai bisogno di qualcosa? Oh, pover'uomo, che cosa avrà
combinato questa volta? – aggiunse la nonna Antonietta,
mentre la porta si chiudeva.

La mamma si sedette e si prese la faccia tra le mani, poi si
alzò e chiamò papà al telefono. Lui le disse di stare tranquilla,
che arrivava subito.

Papà è molto bravo quando la mamma si agita; lui dice che
è perché ragiona con il cervello, non con il cuore come fa la

mamma. Infatti è un ingegnere. Papà fece in un lampo, si fece spiegare tutto dalla mamma, poi disse:

– Ragioniamo. Nelle condizioni in cui si trova, non può essere andato lontano. Magari ha voluto fare una passeggiata e ha perso la strada; forse non ha chiesto informazioni, sai com'è fatto tuo padre...

Prendemmo la macchina e cominciammo a girare per le strade vicino a casa.

– Guarda bene, Tonino, – diceva papà.

Io ce la mettevo tutta a guardare, ma del nonno non si vedeva nemmeno l'ombra.

Dopo quelle piú vicine, cominciammo a percorrere le strade un po' piú lontane e arrivammo al parco.

Il parco non è molto lontano da casa nostra, basta attraversare alcune strade e la circonvallazione, che è sempre piena di traffico.

– Andiamo a dare un'occhiata, – suggerí la mamma. – Ho come un presentimento.

Entrammo. Nel parco ci sono molti alberi: alcuni erano verdi, con le foglioline appena spuntate, e altri tutti fioriti. Ce n'era uno coperto di fiori rosa e sotto c'era della gente che guardava in alto e vicino era ferma un'ambulanza. La mamma si mise la mano davanti alla bocca.

– Eccolo, – disse papà.

Ci avvicinammo. Il nonno era seduto su un ramo sporgente, con le gambe a penzoloni e Alfonsina in braccio. Sotto c'era un vigile con due signori vestiti di bianco e quattro o cinque persone che chiacchieravano. C'era anche un fotografo.

– Ciao, Tonino, – gridò il nonno. – Visto che fioritura ha fatto Felice? Erano due giorni che ci pensavo, oggi lo vado a trovare, oggi lo vado a trovare... Per fortuna mi sono deciso!

– Babbo, – mormorò la mamma con una vocina sottile, – ma cosa dici...

– Cosa dico? E perché? Non comincerai anche tu adesso? Già questi qui... Li vedi? Questi li ha mandati il Comune a tagliare il ciliegio. Ma prima devono...

Il nonno si mosse e stava per cadere. La mamma gridò.

Allora il vigile si avvicinò a noi e chiese:

– Lo conoscete?

– È mio padre, – rispose la mamma e cominciò a piangere. Il nonno adesso guardava lontano e sembrava non accorgersi piú di nessuno.

Sono passati tre anni da quel giorno, ma lo ricordo ancora tale e quale. Ricordo che quando la mamma disse cosí, tutti smisero di parlare e cominciarono a guardarci. Il fotografo alzò la macchina, papà fece un gesto con la mano e lui scattò la fotografia. Papà disse una parolaccia e mise un braccio intorno alle spalle della mamma.

– Allora, – spiegò il vigile, – ci ha chiamato circa mezz'ora fa una signora che ha visto suo padre mentre si arrampicava sull'albero con quell'oca sulle spalle. Lei gli ha rivolto la parola e lui ha cominciato a urlare. È da quando siamo arrivati che cerchiamo di farlo scendere, ma lui si agita e abbiamo paura che cada... Veda un po' lei se ci riesce, perché gli infermieri hanno fretta, stavano per smontare quando sono stati chiamati.

La mamma si asciugò le lacrime e andò sotto l'albero.

– Babbo, sono Felicità.

– Ti vedo, – disse il nonno, – non sono mica cieco.

– Scendi, per favore.

– Prima questi qui mi devono firmare una carta, che la terra non se la prendono e non toccano il ciliegio.

La mamma si stringeva le mani.

– Sí, babbo, te la firmano.

– No, la voglio vedere.

Papà disse qualcosa al vigile e lui prese di tasca un blocchetto e cominciò a scrivere.

– Contento? La carta è qui, ora la veniamo a prendere.

Il nonno non rispose. Allora un uomo appoggiò una scala all'albero e fece per salire, ma il nonno si tolse una scarpa e gli disse:

– Se ti avvicini te la sbatto in testa, quant'è vero che mi chiamo Ottaviano!

Io mi misi a ridere.

– Dài, Tonino, sali anche tu! – mi gridò il nonno. Adesso era tutto allegro e io non sapevo cosa fare.

– Se ti viene a prendere Tonino, scendi? – gli chiese la mamma. Il nonno disse di sí e io salii fino al primo ramo.

– Vieni qui con me, – mi disse il nonno.

Guardai la mamma, che fece di no con la testa.

– Dobbiamo scendere, nonno. È ora di mangiare.

– Già, è vero. Be', vorrà dire che torniamo dopo.

Il nonno non volle lasciare Alfonsina, se l'appoggiò sulla spalla e, attaccandosi ai rami, scese lentamente. Quando fummo a terra ci fecero un applauso, il fotografo scattò un'altra fotografia e papà disse un'altra parolaccia.

– Allora, andiamo? – chiese il nonno. – M'è venuta una fame!

Papà disse alla mamma di avviarci verso l'automobile e si fermò a parlare con il vigile e con i signori vestiti di bianco.

Il giorno dopo, quando ci alzammo per la colazione, la mamma disse al nonno che l'avrebbe portato in campagna.

– Che bellezza! Allora oggi non vado a scuola?

– No, a scuola tu ci vai.

– Ma non avevi detto...

– Ci vai e basta! – urlò la mamma.

Aveva una faccia strana e gli occhi tutti gonfi. Pensai che fosse ancora arrabbiata per quello che il nonno aveva fatto il giorno prima, ma non mi spiegavo perché se la prendesse con me e non con lui. Se c'è una cosa che non sopporto sono le ingiustizie, mi mandano in bestia. E la mamma in quel momento mi pareva cosí spaventosamente ingiusta che ero già pronto a piantare una bella grana, sul genere di quella con la nonna Antonietta.

Ma il nonno, che stava bevendo il suo latte, si alzò all'improvviso, mi venne vicino e cominciò ad accarezzarmi la testa piano piano, come se avesse paura di farmi male.

– Non ti preoccupare, Tonino, che poi vengo a prenderti a scuola con Alfonsina.

In quel momento capii. Guardai la mamma, che aveva gli occhi spalancati e una mano sulla bocca, e seppi con certezza quello che sarebbe successo. Allora sentii un dolore che non avevo mai provato e scoppiai a piangere.

Il nonno continuò ad accarezzarmi la testa fino a quando la mamma non lo prese per mano e gli disse dolcemente:

– Babbo, vai a prepararti, che tra poco ce ne andiamo in campagna.

Il nonno sorrise e se ne andò via con lei.

Cosí il nonno se ne andò alla casa dei non-colori, e di lí non tornò piú. Quando ritornai da scuola, trovai papà e mamma che sembravano andati a un funerale e Alfonsina, sola, sul terrazzo.

– Lo capisci, vero, Tonino? Il nonno in questi ultimi tempi era molto malato... – Papà mi fece sedere vicino a lui. – Non poteva piú stare con noi e non poteva andare a casa sua...

– Dove l'avete portato?

– In una clinica, dove lo cureranno.

– E quando tornerà?

Nessuno mi rispose.

Il nonno rimase in quella clinica quattro mesi e una volta l'andai a trovare con la mamma.

Stava in una cameretta tutta bianca, in fondo a un lungo corridoio bianco. Anche le infermiere erano vestite di bianco, perfino le scarpe, e le porte avevano i vetri bianchi e opachi. Tutto lí dentro era bianco e silenzioso, come in una casa di fantasmi.

Il nonno era seduto vicino alla finestra, aveva le mani sulle

ginocchia e guardava fuori. Era diventato cosí magro che
sembrava trasparente e le mani gli tremavano.

– Nonno, ti ho portato le ciliegie di Felice, – gli dissi.
Avevo raccolto per lui le ciliegie piú rosse e mature, le avevo
sistemate in un cestino e coperte con le foglie piú grandi.

Il nonno affondò le mani nel cestino, le riempí di ciliegie e
se le portò alla bocca. Mangiava le ciliegie e rideva, mangiava
e rideva come un bambino. Il succo gli colava lungo il mento
e la mamma lo puliva e gli diceva:

– I noccioli sputali, babbo.

Ma il nonno mangiava tutto, anche i noccioli. Alla fine
prese le foglie e se le mise in testa. Era buffo con quelle foglie
in testa e mi misi a ridere. Anche lui rideva, finché non si
affacciò un'infermiera che disse:

– Signor Ottaviano, come s'è ridotto!

Gli tolse le foglie dalla testa, prese un asciugamano
bagnato e cominciò a pulirlo.

Sfregava, sfregava, e il nonno diventò di nuovo tutto bianco,
come la stanza, l'infermiera e l'ospedale.

Da quella volta a trovare il nonno non ci volli andare piú.

LE FOTOGRAFIE

Il nonno morí il 28 settembre, una settimana dopo l'inizio della scuola e tre giorni prima dell'arrivo dell'impiegato del tribunale con la lettera.

Nella lettera si diceva che il nonno doveva presentarsi in tribunale perché il giudice doveva decidere se aveva ragione il Comune, che voleva prendersi la terra del nonno, o lui, che non gliela voleva dare e che ormai era morto.

Quando la mamma l'ebbe letta, per poco non saltò addosso all'impiegato che aspettava che lei firmasse la ricevuta.

– Prima di prendersi la terra di mio padre, quelli là devono passare sul mio corpo. Capito? Glielo dica e gli dica anche che, se vogliono la guerra, l'avranno. Quant'è vero che sono la figlia di Ottaviano!

Se il nonno l'avesse vista in quel momento, a sbatacchiare

la lettera sotto il naso dell'impiegato, che faceva di sí con la
testa come un burattino, avrebbe riso a crepapelle.

– E domani mi sentiranno questi signori. Oh! se mi
sentiranno!

L'impiegato chiese di nuovo alla mamma se poteva
firmargli la ricevuta, poi se ne andò senza riprendersi
nemmeno la penna, dicendo che lui non c'entrava niente.

– Vigliacchi! – disse la mamma quando se ne fu andato.
– Prendersela con un povero vecchio!

Era talmente arrabbiata che non si ricordava nemmeno che
il nonno era morto!

Cominciò subito a telefonare a un mucchio di persone,
all'avvocato, al notaio, alla sua amica Luisa. A papà no. A papà
in quel periodo non telefonava quasi mai, era sempre lui a
chiamare. Non veniva nemmeno da noi la sera, ma solo per
il fine settimana, e invece di fermarsi a dormire mi portava a
casa con lui. Insomma, si erano separati.

Da principio avevano fatto solo una prova e io e la mamma
eravamo andati ad abitare nella casa del nonno per l'estate.
Era stato papà a dirmelo.

– E tu ci vieni? – gli avevo domandato.

– Qualche volta, se mi invitate... – aveva risposto papà, e
aveva guardato la mamma. Ma lei non aveva detto niente. – La

mamma vuole stare sola per un po', cosí abbiamo pensato che
potevate trasferirvi in campagna tutti e due. Poi, in autunno,
si vedrà.

L'idea di stare tutto il giorno solo con la mamma non mi
piaceva molto, anzi, mi sembrava quasi una punizione. Da
quando il nonno si era ammalato era diventata piú nervosa
del solito, diceva in continuazione che aveva sbagliato
tutto, non le andava bene niente e Floppy, poi, non lo voleva
vedere nemmeno da lontano. Era quasi meglio la nonna
Antonietta. Ma dal nonno c'erano Alfonsina e Felice, e poi
la mamma al mattino non c'era, doveva andare al negozio, e
papà aveva promesso di comprarmi una bicicletta da cross:
cosí, per tutte queste ragioni, mi rassegnai abbastanza in
fretta.

All'inizio di giugno la mamma e io ci trasferimmo in
campagna e, dopo due settimane, lei era talmente cambiata
che quasi non la riconoscevo. Prima di tutto si era tagliata
i capelli cortissimi e sembrava un maschio, poi era quasi
sempre di buon umore, anche se si doveva alzare presto
e aveva un gran daffare. Si era messa perfino a farmi lo
zabaione e la ciambella che faceva la nonna Teodolinda, che
a lei veniva tutta a buchi e bruciacchiata, ma per non darle un
dispiacere le dicevo che era buona. Tutti i giorni se ne andava

in città e mi lasciava con Emilio, che ora coltivava l'orto del
nonno.

– Mi raccomando, eh? – diceva prima di partire.

– Non vi preoccupate, ci penso io a questo, – rispondeva
Emilio, e mi lasciava fare tutto quello che volevo.

Quando la mamma tornava, i primi giorni ci faceva
l'interrogatorio, poi solo: «Tutto bene?» e certe volte
nemmeno questo. Cosí io mi scatenai. Diventai bravissimo
ad arrivare fino in cima al ciliegio e poi, con l'aiuto di Emilio,
costruii una capanna sui primi rami e una scaletta di corda
a pioli perché il nonno Ottaviano potesse salire e scendere
con piú comodità. Al nonno pensavo spesso, ma al nonno
di una volta, non a quello che si era ammalato. A quello non
mi piaceva pensare, specialmente dopo la faccenda delle
fotografie.

Successe poco dopo che ci eravamo trasferiti. Un giorno,
la mamma si mise in testa di mettere in ordine i cassetti
del comò e in fondo a uno, in mezzo a una confusione di
biancheria e altre cose, trovò l'album delle fotografie che
avevamo guardato tante volte, e sparsi intorno tanti pezzetti
di carta colorata: erano le foto dell'album. Il nonno le aveva
tagliate con le forbici e ora, invece che foto, sembravano
strani coriandoli. La mamma si mise a piangere e passò il

pomeriggio a cercare di mettere insieme tutti quei pezzetti
senza riuscirci. Alla fine prese una busta e ce li mise dentro.

– È inutile, ha distrutto tutto! Tutti i miei ricordi, nemmeno
una foto di mia madre giovane! – sospirava.

– Ma perché ha fatto questo alla nonna Linda? Allora non è
vero che le vuole bene!

Non sapevo piú cosa pensare del nonno. Gli altri dicevano
che era matto, io avevo sempre creduto che fosse buono, come
la nonna Linda. Dissi alla mamma che non m'importava se il
nonno era matto, ma non volevo che fosse diventato cattivo.

– Ma cosa dici! Ti metti a ragionare anche tu come certa
gente? Il nonno non è matto e non è cattivo, è solo malato.
Qui dentro –. Si toccò il petto e mi venne in mente la famosa
spina. – Si è ammalato di solitudine quando la nonna è morta,
perché le voleva bene. I vecchi sono come i bambini, non
possono stare soli, hanno bisogno l'uno dell'altro.

– Allora come farai tu senza papà? – le chiesi.

La mamma rispose che non era ancora vecchia e che aveva
tutto il tempo per pensarci.

Per fortuna, nell'ultima pagina dell'album era rimasta la
foto della nonna Linda sotto il ciliegio, con la mamma in
braccio.

– Hai visto? – chiese la mamma tutta contenta, quando un

giorno se ne accorse. E fece fare subito un bell'ingrandimento.
Ma io non lo guardavo volentieri, perché mi ricordava le
fotografie dell'album e mi faceva sentire triste.

Qualche tempo dopo, la mamma incaricò Emilio di trovare
un marito ad Alfonsina. Lei non ci aveva mai pensato, perché
di oche non se ne intendeva, ma Emilio le disse che non era
giusto lasciare un'oca in quelle condizioni.

– Un cristiano una donna, bene o male, la rimedia, ma
un'oca come fa a trovare marito?

La mamma si mise a ridere e incaricò Emilio di cercare un
maschio al mercato.

– Ma se lui non conosce i gusti di Alfonsina, come fa a
sceglierlo? – chiesi io.

La mamma mi permise di andare al mercato con lui.

Il mercato si teneva in paese ogni mercoledí. L'anno prima
c'ero andato alcune volte con il nonno a vendere le verdure
e mi ricordavo dei contadini che vendevano i polli e le oche.
Stavano in fondo alla strada e avevano delle ceste con i polli e
delle gabbie dov'erano chiuse le oche.

Le oche erano tutte uguali ad Alfonsina e per riconoscere
il maschio bisognava metterlo a testa in giú e soffiare sotto la
coda.

A Emilio dissi che volevo un'oca diversa da Alfonsina, perché i maschi si devono distinguere dalle femmine, ma lui mi rispose che alle oche non gliene importava niente di distinguersi, che erano tutte storie.

Stavamo discutendo su quello, quando vidi in un angolo un'oca, grigia sul dorso e sotto bianca. Era cosí grande che non l'avevano nemmeno chiusa nella gabbia.

– Quella va bene!

Ero certo al cento per cento che ad Alfonsina sarebbe piaciuto.

Emilio disse che quella era un'oca di razza tolosana e che

costava un occhio della testa, ma io risposi: – O quella o
niente, – ed Emilio la comprò.

Alfonsina fu molto contenta del marito, la mamma un po'
meno, perché costava troppo, e papà per niente.

– E quando nasceranno i piccoli, dove li metterai? –
domandò alla mamma. – O intendi prolungare la
permanenza?

La mamma non rispose e papà quel giorno se ne andò
prima del solito.

Quando stavano per riaprire le scuole, la mamma e papà
cominciarono a discutere di nuovo. Papà voleva che tornassi
a scuola in città, perché diceva che in paese le scuole erano
di serie B, la mamma rispondeva che lei le aveva frequentate
fino alle medie ed era stata felice. Papà diceva: «Che cosa
c'entra questo, di' piuttosto che non vuoi tornare», e andavano
avanti cosí per un bel po'. Nessuno mi chiedeva mai cosa
volevo fare.

Poi un giorno papà me lo chiese e io gli dissi che a scuola
con la maestra e i compagni dell'anno prima non ci sarei
andato, nemmeno se mi fucilava.

– Non fare il tragico, – disse papà. – Sempre per quella
storia del nonno?

– Perché la chiami «storia»? – s'intromise la mamma. – Ti

pare giusto che dei bambini diano del matto a mio padre
e una maestra non intervenga? E che poi punisca Tonino
perché tira un pugno a quello che ha insultato suo nonno?

– Ma insomma, tuo padre sale su un albero del parco
con un'oca sulle spalle, arrivano i vigili e gli infermieri, lo
fotografano, il giorno dopo è sul giornale... Come vuoi che lo
chiamino? – domandò papà. – Ti rendi conto che questo è il
modo normale di ragionare delle persone?

La mamma allora gli disse che non capiva niente e che con
lui non sarebbe tornata.

– Allora dobbiamo andare dall'avvocato, – disse papà. – È
questo che vuoi?

Se ne andò sbattendo la porta e la mamma si mise a
piangere. Cosí un mese dopo si separarono sul serio e io
andai a scuola in paese.

Quella mattina avevo mandato al nonno un bellissimo
disegno di Alfonsina e di suo marito Oreste, e la mamma
era tornata a casa da poco e stavamo nell'orto a raccogliere
l'insalata per la sera, quando telefonarono dalla clinica per
dire che il nonno era morto. La mamma non ci voleva credere.
Diceva:

– Ma se l'ho appena visto! Se stava bene!

Nemmeno io ci volevo credere e dissi alla mamma che di sicuro il nonno ci stava facendo uno dei suoi scherzi. Ma la mamma scuoteva la testa.

– L'ho lasciato che aveva appena finito di mangiare, era seduto vicino alla finestra, come sempre... L'ho salutato e mi ha anche riconosciuto... Ma com'è possibile!... Com'è possibile!...

La mamma si disperava e io mi convinsi che il nonno era morto davvero, ma non provai nessun dolore.

Lei piangeva e io immaginavo il nonno vicino alla finestra, in quella stanza tutta bianca, che si faceva sempre piú sottile e leggero e alla fine volava via. Come una di quelle piume di Alfonsina che il vento portava in giro per il cortile: il nonno era diventato una piuma e io ero contento che volasse via. Domandai alla mamma se una piuma poteva arrivare fin dalla nonna Teodolinda e lei mi guardò in modo strano, dicendo che non aveva voglia di rispondere a una domanda cosí stupida.

Allora le spiegai quello che avevo pensato e lei smise di piangere, si asciugò la faccia con le mani e mi abbracciò.

– Hai ragione tu, il nonno dev'essere proprio volato via. Quel posto non era fatto per lui, era una prigione.

Poi disse che il nonno era ormai piú leggero di una piuma

e che dalla nonna Linda era arrivato di sicuro. E disse ancora
che avevo detto una cosa bellissima, che l'aveva aiutata
molto. Poi basta. Lei andò a sciacquarsi la faccia e io mi misi
a guardare Alfonsina e Oreste che mangiavano insieme nel
cortile. Si volevano bene come il nonno e la nonna.

Piú tardi, la mamma preparò il vestito per il nonno, lo
stesso che lui si era messo il giorno del suo matrimonio e del
matrimonio della mamma.

Anche la nonna Linda per il suo funerale aveva voluto
mettersi il vestito a fiori del matrimonio della mamma.
Diceva sempre: «Ricordatevi, o quello o niente!». Lo teneva
in un sacco di nailon, nell'armadio, e ogni tanto lo faceva
mettere al sole per fargli prendere aria. Diceva al nonno:
«Mettilo fuori e dagli un po' di profumo. Non voglio mica
puzzare!». Ma una volta un uccellino si era posato sul vestito
e aveva fatto la cacca; da allora la nonna non lo aveva piú
messo fuori, ma lo stendeva sul letto e ci spruzzava sopra
il profumo. A lei piaceva un profumo alle violette che stava
dentro una boccetta rosa sul comò. Il nonno Ottaviano diceva
che puzzava piú dei cavoli lessi e la nonna si arrabbiava; ma
quando la nonna Teodolinda morí, lui volle che la mamma
le mettesse il vestito e il profumo che le piaceva tanto.
Quando il vestito del nonno fu pronto, andai sotto il ciliegio

a raccogliere le foglie piú belle che erano cadute a terra, presi
una piuma di Alfonsina e una di Oreste e in ogni tasca misi
una foglia e una piuma.

La mamma disse che avevo avuto un pensiero molto bello
e che il nonno l'avrebbe apprezzato molto. Poi arrivò papà a
prenderci e andammo tutti in città: io dalla nonna Antonietta
e dal nonno Luigi e loro dal nonno Ottaviano.

Al funerale non ci volli andare, rimasi a casa con Emilio e
preparai una cesta matrimoniale per Oreste e Alfonsina.

Passando vicino al ciliegio, vidi la scaletta di corda che
avevo costruito per il nonno e mi venne l'impulso di toglierla.
Ma non lo feci ed è ancora lí. Quando Corinna sarà piú
grande, la potrà usare lei per arrampicarsi sul ciliegio.

IL CILIEGIO

Alcuni giorni dopo l'arrivo della lettera, la mamma mi svegliò prestissimo, mi fece vestire e disse che dovevamo andare in città a preparare il piano di guerra contro quelli che volevano prendersi l'orto del nonno.

Io pensavo che mi avesse portato con sé per darle una mano e le chiesi che tipo di guerra dovevamo fare, ma lei mi rispose di non impicciarmi, che non erano cose da bambini.

Quella mattina di umore non era un granché e preferii non insistere. Ma quando arrivammo alla casa dei nonni, tornai a pensare che la mamma volesse chiedere un consiglio al nonno Luigi, che è un colonnello in pensione e di guerre se ne intende abbastanza. Invece voleva soltanto scaricarmi.

Il nonno stava uscendo in quel momento per la prima passeggiata con Floppy.

– Allora, cosa facciamo oggi, giovanotto? – mi chiese.
– Andiamo o no a scuola?

Da quando avevo quattro anni, se incontravo il nonno a quell'ora del mattino mi faceva sempre la stessa domanda. Io certe volte ci restavo di stucco e certe volte non ci facevo caso, anche perché il nonno non aspettava da me nessuna risposta. Faceva la domanda e tirava diritto, con Floppy che muoveva le zampe a velocità supersonica per stargli dietro.

Appena lo vide, la mamma lo bloccò, gli disse che aveva fretta e mi lasciò sul marciapiede insieme a lui.

– Benissimo, – disse il nonno, – adesso ci facciamo una bella passeggiatina! Vero, Tonino?

E subito partí. In un quarto d'ora andammo al parco e ritornammo. Il nonno non solo marciava a velocità supersonica, ma tutte le volte che Floppy cercava di alzare la zampa, tirava il guinzaglio e diceva: «Marsch!». E Floppy rimaneva con la zampa per aria e non gli riusciva mai di finire quello che aveva cominciato!

Dopo quella passeggiata, cominciai a pensare che essere un cane non era poi una gran bella cosa e Floppy mi diventò piú simpatico.

Il resto della mattina fu cosí noioso che la scuola al confronto mi sembrava un paradiso. Un'ora al mercato con la nonna Antonietta, a comprare le verdure per il minestrone, con Floppy che si fermava tutti i momenti ad annusare e ad alzare la zampa; e un'ora a preparare le verdure, perché la nonna Antonietta, con la sua mania dei microbi, non la smetteva di lavarle.

All'una, quando ormai non ce la facevo piú, papà telefonò e mi invitò a pranzo. Mi portò a mangiare pizza e patatine e mi fece l'interrogatorio sulla mamma. Mi chiese come stava, se dormiva, se era triste. Da quando si erano separati faceva sempre cosí.

Gli dissi che la mamma, piú che triste, era arrabbiata per la lettera che avevano mandato al nonno e cercai di spiegargli la faccenda del tribunale e del piano di guerra.

Papà capí subito e, quando vide la mamma, le chiese com'era andata e se aveva bisogno d'aiuto.

– No, grazie, – disse la mamma, – è tutto a posto.

Allora, mentre tornavamo a casa, domandai alla mamma se avevamo vinto e se potevamo stare tranquilli.

– Macché! – mi rispose. – Hanno rinviato l'udienza di un mese. Decidono a novembre.

Quando lo raccontai a papà, invece di arrabbiarsi per la bugia della mamma, si mise a ridere e disse che da lei se l'aspettava.

– Non cambia mai! Vuol fare sempre di testa sua, come suo padre!

Da un po' di tempo papà si comportava con la mamma in modo strano: quello che prima lo faceva arrabbiare, ora lo faceva ridere. Con me era diverso, perdeva anche la pazienza, ma con la mamma mai. Io trovavo che non era giusto e una volta glielo dissi.

– Il nonno Ottaviano diceva che non dobbiamo farci mettere i piedi addosso dalle donne, perché quelle ci pestano.

– Dipende, – ribatté papà. – La mamma adesso sta passando un momento difficile, per questo è nervosa. Devi avere pazienza.

Be', io ce la mettevo tutta, ma non era cosí semplice. Per tutto il mese di ottobre la mamma si agitò, scrisse al sindaco e anche ai giornali: nessuno rispondeva e lei scriveva altre lettere.

A scuola tutti sapevano di questa udienza e facevano il tifo per noi. Ogni giorno la maestra mi chiedeva:

– Ancora niente, Tonino?

Io dicevo di no e lei:

– Allora è un buon segno, vedrai.

Da che cosa lo capisse non lo so, ma sembrava cosí

convinta che mi ero convinto anch'io, e un po' anche la
mamma.

Invece, alla fine di novembre, quel giudice che ci doveva
dare ragione stabilí che aveva ragione il sindaco e che il
Comune si poteva prendere la terra del nonno.

La mamma non dormí per una settimana, papà telefonò
molte volte, la maestra disse che le dispiaceva di essersi
sbagliata e io scrissi sul quaderno che se le persone, al posto
delle automobili, avessero usato, per esempio, elicotteri o
biciclette volanti, non ci sarebbe stato bisogno di allargare le
strade e di prendersi la terra degli altri.

In quel periodo facevo spesso dei brutti sogni e mi
svegliavo urlando: alle volte me li ricordavo e li raccontavo
alla mamma, alle volte no, e questi erano i sogni piú paurosi,
perché non riuscivo a mandarli via. Ma una notte feci un
sogno bellissimo e fu poco prima della sentenza di quel
giudice.

Sognai il nonno che si dondolava sul ramo piú alto del
ciliegio e con la mano mi chiamava.

«Salta, – mi diceva, – non avere paura!»

Io stavo a terra e lo guardavo.

«Dài, salta!»

Allora feci un salto e sentii che cominciavo a salire. Il nonno mi chiamava con la mano e io salivo, salivo. Ed era come volare.

Poi sentii la voce della nonna Teodolinda che diceva:

«Non mangiatele tutte, che voglio fare la marmellata!» e il nonno cominciò a tirare fuori dalle tasche manciate di ciliegie e a buttarle in alto.

«Prendile, – diceva, – te ne posso dare fin che vuoi».

Io mi tuffavo per prenderle e facevo capriole nell'aria, e il nonno rideva e continuava a ripetere: «Prendile, prendile!». Aveva una pancia grossa come un pallone, che lo faceva galleggiare. Le ciliegie scendevano come dei paracadute e si attaccavano ai rami del ciliegio. «Prendile, prendile!»

Man mano che le buttava, la pancia del nonno si sgonfiava e lui si restringeva.

«Basta, nonno, non darmene piú!»

«Non ti preoccupare, Tonino, puoi prenderne quante ne vuoi».

Le ciliegie continuavano a scendere e il nonno diventava sempre piú piccolo, finché non riuscii piú a vederlo.

«Dove sei, nonno?» gridai.

«Sono qui, Tonino, sono qui con te», mi rispose la voce del nonno.

Mi svegliai di colpo, con il cuore che batteva forte, ma non avevo paura, perché continuavo a sentire la voce del nonno che ripeteva: «Sono qui, Tonino, sono qui con te».

Forse per farsi passare l'arrabbiatura, la mamma decise che a Natale io e lei saremmo andati in vacanza sulla neve. Papà ci rimase malissimo, e anche i nonni credo, perché era il primo anno che non passavamo il Natale con loro. Ma quando papà le telefonò, lei disse:

– Per che cosa mi sono separata, se non posso nemmeno decidere di andare in vacanza quando voglio?

– E mio figlio? – chiese papà.

– Non scappiamo mica. Se vuoi, puoi venirlo a trovare.

Ma papà, che odia il freddo e la montagna, disse che pensava di andare a fare un po' di pesca subacquea da qualche parte. La mamma ci rimase malissimo.

– Ma come, se hai detto un minuto fa che il Natale senza Tonino...

Papà disse qualcosa e la mamma buttò giú il ricevitore.

Quando venne a prendermi per il fine settimana, papà sembrava tale e quale il nonno Ottaviano quando il dottore gli aveva proibito di fumare i sigari, perché aveva avuto la bronchite.

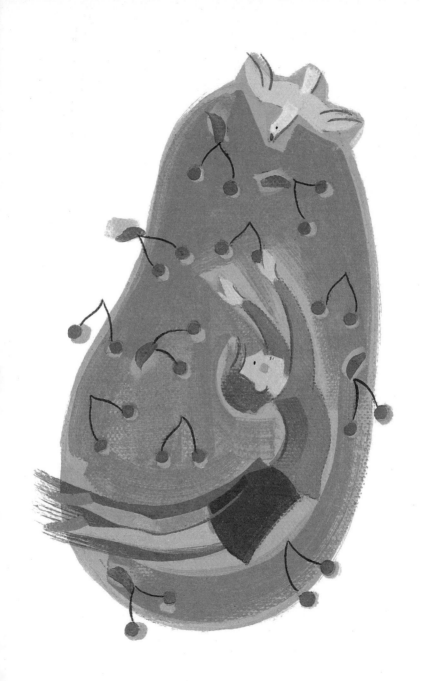

«Cosa fai con quella faccia? Mi sembri un cane bastonato!» gli diceva la nonna. Poi lo guardava di nuovo e sospirava: «Ma fumatene uno!».

Lei non sapeva che il nonno i sigari li fumava già, di nascosto, nel pollaio. (Lo avevo scoperto io un giorno, quando ero andato a vedere le ochette di Alfonsina.)

«Nonno, la mamma dice che i sigari ti fanno male!»

«Ma che male d'Egitto, questa è la cura migliore contro la bronchite! Ma tu non lo dire a nessuno, eh!»

E infatti il nonno guarí perfettamente e il dottore disse che era perché aveva smesso di fumare; cosí il nonno continuò a fare la faccia da «cane bastonato» e a fumare di nascosto nel pollaio.

Comunque, anche se papà non aveva la faccia allegra, io di andare in montagna ero contentissimo. Era la prima volta che ci andavo d'inverno e gli raccontai tutto quello che avrei fatto. Papà disse che era una cosa splendida e continuò a ripeterlo per una decina di volte, anche quando gli raccontai che l'anno prima un mio compagno di scuola si era fracassato una gamba contro un albero con lo slittino.

– Ma papà!...

– Ah, sí! Che cosa stavi dicendo?

Insomma, l'aveva presa proprio male.

Ma nemmeno la mamma credo si sia divertita molto
in montagna. Se ne stava quasi sempre seduta al sole, a
chiacchierare con due signore: una, Lilli, aveva la testa piena
di bigodini, l'altra, Lalla, portava degli occhiali da sole che
sembravano i fari di una motocicletta.

Quando parlava di loro, la mamma sbuffava spesso: diceva
che non era molto divertente sentire tante lamentele. Quelle
signore erano le madri di due miei amici simpaticissimi, cosí
diversi da loro che la mamma pensava li avessero scambiati
nelle culle con i figli di altre donne.

– Pensa che disgrazia, – diceva, – trovarsi un Lillo o un Lallo
come figlio!

Alle volte la mamma rideva e aveva voglia di scherzare, ma
altre volte era silenziosa e malinconica. Una volta la trovai che
guardava l'albero di Natale che stava davanti all'albergo, con
gli occhi pieni di lacrime.

– Piangi? – le chiesi.

– No, è il vento.

Ma di vento non ne tirava nemmeno una briciola e c'era
un sole che arrostiva la faccia e faceva luccicare la neve
sull'albero come tante lampadine accese. E all'improvviso la
mamma chiese:

– Ti ricordi com'era bello il Natale, quando c'eravamo tutti?

Le risposi che sí, me lo ricordavo, ma non proprio bene. Invece mi ricordavo quello dell'anno prima a casa del nonno, con Felice tutto vestito da albero di Natale.

– Da albero di Natale? – chiese la signora Lalla, che stava arrivando in quel momento. – Ma che bella idea questo Felice! È vostro amico?

– Sí, – rispose la mamma, – è un mio amico d'infanzia. Deve avere piú o meno l'età di questo abete, vero Tonino?

– Sí, ma Felice è piú bello. È un ciliegio, – dissi alla signora Lalla per spiegarle meglio.

– Un ciliegio?! – fece lei tutta schifata. E corse subito dalla signora Lilli a parlarle fitto fitto. Senz'altro pensava che l'avessimo presa in giro.

– Meno male, cosí per un po' mi lasceranno in pace! – concluse la mamma.

Infatti il giorno dopo la signora Lalla si cercò un'altra sdraio e si mise a chiacchierare con un'altra signora, e alla mamma rimase solo la signora Lilli. Ma per pochi giorni, perché ritornammo a casa.

Per me, io sarei rimasto in montagna anche un anno, tanto mi divertivo, ma la mamma cominciò a trovare un mucchio di scuse e partimmo con due giorni di anticipo.

Il fatto che lei si era annoiata e non vedeva l'ora di tornare a casa si capí benissimo quando mi portò dai nonni e fece un sacco di complimenti a tutti e a Floppy anche una carezza: che, insomma, era una cosa proprio strana. Poi si mise a lavorare nell'orto con Emilio e a seminare per la primavera, e di quella sentenza del giudice smise di parlare. Cosí, siccome non succedeva niente e avevamo molte cose da fare, ce ne dimenticammo.

Finché non arrivò il 13 marzo.

Quella mattina, alle otto, il vigile che vedevo tutti i giorni davanti alla scuola portò alla mamma un foglio da firmare. E cominciò subito una grande discussione. Mentre la mamma diceva: – Abbiamo seminato, – e il vigile rispondeva: – Questa è la legge, – e la mamma diceva: – È una prepotenza! – e lui: – Io non c'entro niente, – eccetera eccetera, arrivò un'altra macchina con due signori, che si misero a scaricare dei paletti e altre cose.

– Ma come, cominciate subito? – domandò la mamma.

– Sí, signora, domani arrivano le ruspe, – rispose quello dei due che aveva la faccia da castoro. E sembrava tutto contento.

– È un'infamia! Ora vado dal sindaco!

– Come vuole, signora, ma lei sa che è inutile, – concluse il vigile. – C'è la sentenza.

Poi mi fece una carezza e disse che a scuola poteva portarmi lui. La mamma fece di sí con la testa e rimase a guardare quei due che andavano verso l'orto del nonno.

– Per fortuna è morto! – sentii che diceva.

Per tutta la strada pensai a come potevo fare per uccidere il vigile, prendergli la pistola e correre a casa a uccidere gli altri due uomini. Per primo quello con la faccia da castoro.

Ma arrivammo a scuola che non avevo ancora deciso niente e cosí passai la mattina a chiedere l'ora al mio compagno di banco, finché non suonò la campanella.

Quando tornai, trovai papà che controllava i paletti che gli uomini avevano piantato.

– Guarda che disastro! – esclamava la mamma. – Hanno calpestato dappertutto, peggio degli elefanti!

– Ti prenderanno solo un quarto della terra, – diceva papà per consolarla.

– Ma quando arriveranno le ruspe distruggeranno tutto!

La mamma aveva ragione.

Il giorno dopo, mentre facevamo colazione, arrivò la macchina con i due uomini del giorno prima e subito dopo due ruspe quasi nuove, guidate da due operai con la tuta arancione. La mamma fece finta di niente e continuò a mangiare, io invece scappai in cortile.

– Dove vai?

– Le ruspe! – gridai.

Ho sempre avuto la passione delle macchine e già allora avevo un sacco di modellini, di tutti i tipi. Ma giocare non è come vedere. Insomma, stavo guardando quelle ruspe e stavo pensando a una scusa per stare a casa da scuola e vederle lavorare, sí, stavo pensando a questo, quando l'uomo con la faccia da castoro chiamò i due dalla tuta arancione e disse:

– Allora, partite da qui, buttate giú l'albero e poi continuate a scavare.

L'albero era Felice.

– Ma quello è il ciliegio del nonno! – protestai. Ma forse non lo dissi, lo pensai soltanto. Ero cosí spaventato che non riuscivo a muovermi, fissavo le ruspe e basta. Intanto gli uomini avevano riacceso i motori e cominciavano a manovrare le leve. Ci saranno stati cento metri al ciliegio e io non sapevo ancora cosa fare. Poi una ruspa si mosse e io... non so cosa mi successe, sentii come una spinta dietro di me.

– Mamma! – urlai con tutto il fiato che avevo e corsi verso il ciliegio.

– Ehi, cosa fai? – sentii gridare, e poi la voce della mamma che mi chiamava, ma io ero già sul primo ramo.

Ancora oggi non so spiegare come feci a salire cosí in

fretta: forse fu Felice che si abbassò verso di me o il nonno che mi spinse. Ricordo però che avevo tutte le mani graffiate e insanguinate, ma me ne accorsi dopo. Intanto l'uomo con la faccia da castoro e gli altri stavano sotto e si allungavano per prendermi, cosí mi spostai piú in alto.

– Lo faccia scendere, o vado a chiamare i pompieri.

– Vogliono buttare giú il ciliegio, – dissi alla mamma.

– Cosa? Ma se mi avevano assicurato che non lo avreste toccato!

– Non possiamo lavorare con questo albero di mezzo.

– Allora andatevene e lasciateci in pace!

– Senta, io non ho tempo da perdere. Faccia scendere questo bambino oppure...

– Oppure? – fece la mamma. – Cosa vuole, buttare giú l'albero con il bambino? Perché non ci prova?

L'uomo disse una parolaccia, si girò, entrò in macchina e partí come un razzo.

Rimanemmo io, la mamma, i due uomini delle ruspe e Alfonsina e Oreste, che intanto erano arrivati a godersi lo spettacolo.

– Hai freddo? – chiese la mamma.

Avevo solo una maglia e i calzoni, ma per fortuna c'era il sole. Le risposi che stavo bene. Aspettammo cosí per un bel po', finché non tornò l'uomo con la faccia da castoro. E dietro di lui la macchina dei vigili e dietro ancora il camion dei pompieri.

Uscí l'uomo, uscirono i due vigili, uscirono i due pompieri: e tutti vennero sotto l'albero e cominciarono a guardare me. Poi un vigile disse alla mamma:

– Signora, qui c'è un'ordinanza del sindaco. I lavori devono cominciare, lo faccia scendere. Altrimenti lo andranno a prendere i pompieri.

Vidi che la mamma cominciava a preoccuparsi.

– Tonino, per favore...

– Non scendo, perché vogliono buttare giú il ciliegio, – ripetei. E piú lo ripetevo, piú sentivo di avere ragione.

Allora i pompieri entrarono nel camion e allungarono la scala; poi uno cominciò a salire. Io aspettai che si avvicinasse al ramo e, quando lui si allungò, mi spostai su un altro. I pompieri muovevano la scala e io mi spostavo. Sentivo la voce del nonno: «Devi pensare di essere un uccello, devi pensare di essere un gatto, devi pensare che l'albero è tuo amico».

Io mi muovevo cosí, su e giú, e i pompieri giravano la scala da tutte le parti, ma non riuscivano a prendermi. Alla fine arrivai in cima al ciliegio.

– Troppo pericoloso, – dissero i pompieri, – il bambino può cadere –. E si fermarono.

La mamma mi guardava con gli occhi sbarrati, ma non diceva niente. Solo quando l'uomo con la faccia da castoro tirò un calcio ad Alfonsina, che si era avvicinata, lei esclamò:

– Non si azzardi a toccarla un'altra volta!

– Un corno! – disse lui. Poi sputò a terra e se ne andò a parlare con gli uomini delle ruspe.

Certo che se al posto della mamma ci fosse stata la nonna Teodolinda, lo avrebbe ridotto a una frittella, quel prepotente! Invece lui si comportava come se fosse a casa sua: sputava, imprecava e guardava in continuazione l'orologio.

A un certo punto disse ai vigili:

– Dite al sindaco che se la sbrogli lui questa faccenda, io ho un altro cantiere aperto e non ho tempo da perdere –. E se ne andò. Allora se ne andarono anche i vigili a parlare con il sindaco, ma i pompieri rimasero.

– Per ogni evenienza, signora.

Quando la mamma sentí queste parole, mi raccomandò dieci volte di non muovermi e corse a telefonare a papà.

Papà arrivò a mezzogiorno e io stavo sull'albero già da quattro ore. La mamma e i pompieri mi guardavano dal basso e lei ogni tanto mi chiedeva:

– Hai freddo, Tonino?

Io rispondevo di no, ma battevo i denti. Cominciavo anche
a sentirmi stanco, lassú in cima, e avevo fame. La mamma mi
guardava e si stringeva le mani. All'improvviso mi disse:

– Pazienza per il ciliegio, Tonino. Adesso scendi, per favore;
è inutile, ne pianteremo un altro.

Quando la sentii parlare cosí, mi sembrò di essere ancora
piú stanco e di avere piú fame e piú freddo.

– Dài, che ti veniamo a prendere noi con la scala, –
proposero i pompieri.

Io li guardavo e mi sentivo sempre piú stanco, e avevo
sempre piú freddo e fame.

– Allora?...

– Su, Tonino...

Insomma, mi misi a piangere e stavo per dire di sí,
quando vidi sul ramo piú alto del ciliegio una gemma, un
po' gonfia e un po' rosa, e mi venne in mente quella volta
che il nonno aveva tenuto acceso il fuoco sotto il ciliegio
tutta la notte per non far gelare le gemme e si era preso la
polmonite. Allora dissi che non scendevo e lo ripetei a papà
quando arrivò.

Papà si arrabbiò molto. Non con me, ma con il sindaco, con
il Comune, con il giudice del tribunale, con i vigili, con l'uomo

delle ruspe e anche con i pompieri, perché non avevano messo un telo di protezione sotto il ciliegio.

– Se succede qualcosa al bambino, vi denuncio tutti! – minacciò alla fine, poi corse anche lui dal sindaco. Cosí rimanemmo ancora io, la mamma, i pompieri e Alfonsina e Oreste, che ogni tanto si facevano una passeggiata per il cortile e poi ritornavano.

Passò dell'altro tempo e la mamma chiedeva sempre piú spesso:

– Ma perché tarda tanto?

I pompieri guardavano l'orologio e io chiedevo al nonno di non farmi sentire tanta fame e tanto freddo, quando finalmente arrivò la macchina di papà. E dietro c'era quella dei vigili con dentro il sindaco, poi quella del nonno Luigi con dentro la nonna Antonietta e Floppy, poi quella della mia maestra con Riccardo e Isabella, due miei compagni di scuola, poi la macchina del papà di Riccardo con dentro Giovanna e Valter, altri due compagni di scuola, e dietro la macchina di un signore, che era un giornalista. E, in fondo alla fila, la macchina dell'uomo con la faccia da castoro, questa volta senza le ruspe.

Dopo che ebbero parcheggiato e riempito di macchine il cortile, tutti vennero sotto il ciliegio. E la maestra mi chiese:

– Tutto bene, Tonino? –; Giovanna e Isabella mi fecero ciao
con la mano; Riccardo cercò di salire sull'albero; Valter
cominciò a inseguire Oreste; la nonna Antonietta si coprí la
bocca con la mano; il nonno Luigi domandò: – Giovanotto,
come va lassú? –; i vigili si misero a parlare con i pompieri; il
papà di Riccardo diede uno schiaffo a suo figlio; il signore che
non conoscevo cominciò a fare delle fotografie e il sindaco,
in tutta questa confusione, disse che gli dispiaceva di essere
arrivato solo allora, che aveva saputo da papà la faccenda
del ciliegio, che non c'erano problemi, il ciliegio non si
doveva abbattere, sarebbe stato un peccato, una pianta cosí
bella, lui non aveva mai dato l'ordine, la strada si poteva fare
ugualmente, ci avrebbe pensato l'ufficio tecnico...

– Perciò stai tranquillo, – disse e concluse: – Adesso scendi,
va bene? Cosí ce ne andiamo tutti a mangiare.

Va bene? Stavo per dire di sí, ma mi venne in mente quella
volta che il nonno stava sull'albero con Alfonsina e l'avevano
convinto a scendere con la storia del pranzo. Poi il giorno
dopo l'avevano portato via. Non mi fidavo.

Dissi al sindaco che prima mi doveva scrivere su un foglio
che nessuno avrebbe fatto del male a Felice.

Cosí il sindaco si fece dare un foglio e scrisse quello che io
gli dettai.

– E adesso scendi? – mi chiese.

Gli risposi di sí, ma quando cercai di muovermi sentii che
le gambe erano diventate come dei pezzi di legno. Allora i
pompieri allungarono la scala fino alla cima del ciliegio e
vennero a prendermi.

Quando arrivai sotto, la mamma si mise a piangere,
la maestra mi fece una carezza, Isabella mi regalò una
gomma da masticare alla fragola, la nonna e il nonno mi
abbracciarono, Riccardo mi disse: – Come sei stato fortunato
che oggi non sei venuto a scuola! –, il giornalista cominciò
a farmi delle domande e io, mentre lui ancora parlava, mi
addormentai di colpo in braccio a papà e non sentii piú
niente.

Quando mi svegliai, nel mio letto, vidi dalle persiane
filtrare la luce. In cucina si sentiva sbattere, *toc-toc-toc*, come
quando il nonno preparava lo zabaione. Mezzo addormentato
chiamai:

– Nonno! Nonno!

Ero sicuro che sarebbe entrato con la tazza in mano
e si sarebbe messo a cantare: «È primavera, svegliatevi
bambini!!». Invece entrò papà e accese la luce.

– È sera, – mi disse, – hai dormito sette ore.

– Credevo fosse il nonno. Sentivo sbattere l'uovo.

Papà si sedette sul letto e mi accarezzò.

– È la mamma che sta preparando le frittelle per te.

– E quella luce? – chiesi, indicando la finestra.

– Abbiamo acceso il fuoco sotto il ciliegio, perché minaccia la gelata.

Papà mi prese in braccio e mi portò alla finestra.

– Questa notte resterò qui a controllarlo, cosí non si spegnerà. Sei contento?

Gli dissi di sí. Per un po' rimanemmo in silenzio a guardare il fuoco, poi la mamma ci chiamò e scendemmo in cucina.

Papà si fermò quella sera e poi, siccome fece freddo per una settimana, tornò anche la sera dopo e l'altra ancora.

Poi non se ne andò piú, e rimase sempre con noi.

Sono passati tre anni da allora, e molte cose sono cambiate, altre no.

Adesso abitiamo nella casa del nonno Ottaviano e della nonna Teodolinda: io, papà, la mamma, Oreste e Alfonsina, e la mia sorellina Corinna, di quasi due anni. Papà ha aggiustato la casa e ci ha fatto anche lo studio dove lavora, cosí ha piú tempo per stare con noi e può guardare Corinna quando non viene la baby-sitter. La mamma va sempre al

negozio, ma solo tre volte la settimana. Ora si arrabbia molto
meno, anche se deve lavorare piú di prima, e quando qualcosa
le va storto non se la prende piú con i nonni e con Floppy, ma
quasi sempre con i vigili urbani che continuano a farle un
sacco di multe.

Il nonno Luigi e la nonna Antonietta vengono a trovarci
abbastanza spesso. Appena arrivati, il nonno mi chiede:
«Come va giovanotto?» e la nonna dice a Corinna: «Come sta
il mio fringuellino?»; poi il nonno va nell'orto a parlare con
Emilio e la nonna si mette a giocare con Corinna.

Lei da Corinna si lascia fare tutto: tirare i capelli,
impiastricciare con le caramelle, lavare la faccia con i suoi
baci salivosi. La mamma dice che Corinna le ha fatto perdere
la testa.

Per il suo primo compleanno abbiamo fatto una grande
festa sotto il ciliegio e papà ha fatto le fotografie. Siccome
erano tante, la mamma ha cominciato un album nuovo: nella
prima pagina c'è Corinna in braccio alla nonna Antonietta
e nella seconda ci sono io sul ciliegio. Ormai sul ciliegio
salgo quasi a occhi chiusi: arrivo in cima e di lassú mi guardo
intorno, oppure mi siedo su un ramo e sto lí, tra le foglie. I
miei amici mi hanno chiesto tante volte di salire, ma io ho
detto sempre di no. Porterò solo Corinna sul ciliegio, quando

sarà piú grande, e a lei insegnerò tutte le cose che il nonno ha
insegnato a me.

L'ho sognato una volta, che io e lei facevamo le capriole sui
rami, e il ciliegio si scuoteva tutto e sembrava che ridesse.

È vero, era solo un sogno; ma se gli alberi respirano, perché
non dovrebbero anche ridere?

INDICE

Mio NONNO era un CILIEGIO

Einaudi Ragazzi

···

storie & rime

Pubblicazioni piú recenti

••

Finito di stampare nel mese di giugno 2014
per conto delle Edizioni EL
presso G. Canale & C. S.p.A., Borgaro Torinese (To)

••